le nid, l'œuf
et l'oiseau

Aile de faisan

Œuf de corneille

Œuf de guillemot

Œuf de geai
des chênes

Nid de bergeronnette

Aile de canard colvert

Couverture
sus-caudale de pa

Plumes de perruche ondulée

le nid, l'œuf et l'oiseau

Œuf
de traquet
motteux

Œuf
de mésange
charbonnière

par

David Burnie

en association avec le British Museum
(Natural History Museum), Londres

Comité éditorial
Londres :
Carole Ash, Janice Lacock, Jane Owen
Photographies de Peter Chadwick et Kim Taylor
Paris :
Christine Baker, Marianne Bonneau,
Anne de Bouchony, Catherine de Sairigné-Bon
Conseiller : Alexandre M. Czajkowski,
Muséum National d'Histoire Naturelle

Publié sous la direction de :
Peter Kindersley,
Jean-Olivier Héron
et
Pierre Marchand

Crâne
de chouette
hulotte

Plume
de parade
de canard mandarin

Œuf de caille

Œuf d'hirondelle

Crâne
de merle noir

Rémige d'ara

Plumes du collier
de faisan doré

Crâne d'avocette

Œuf d'étourneau
sansonnet

Œuf de mouette tridactyle

Queue
de paradisier

Couverture alaire
de geai des chênes

GALLIMARD

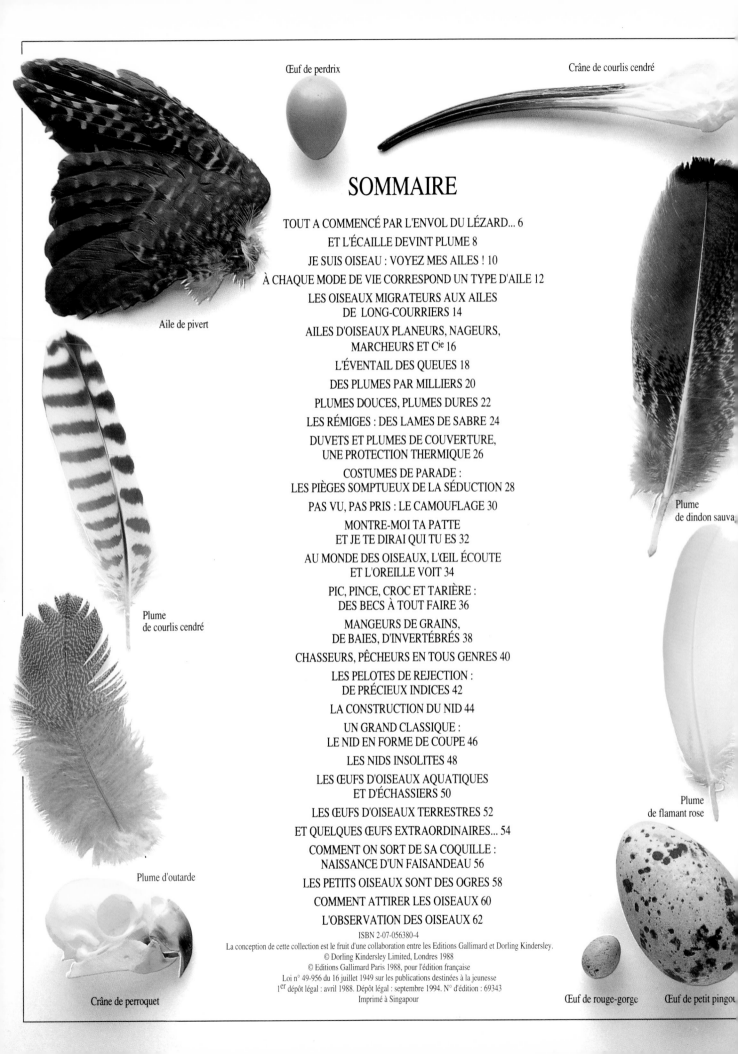

Œuf de perdrix

Crâne de courlis cendré

SOMMAIRE

ISBN 2-07-056380-4

La conception de cette collection est le fruit d'une collaboration entre les Editions Gallimard et Dorling Kindersley.

© Dorling Kindersley Limited, Londres 1988

© Editions Gallimard Paris 1988, pour l'édition française

Loi n° 49-956 du 16 juillet 1949 sur les publications destinées à la jeunesse

1er dépôt légal : avril 1988. Dépôt légal : septembre 1994. N° d'édition : 69343

Imprimé à Singapour

Aile de pivert

Plume
de courlis cendré

Plume d'outarde

Crâne de perroquet

Plume
de dindon sauva...

Plume
de flamant rose

Œuf de rouge-gorge

Œuf de petit pingou...

Plume de perruche mélanure

Plume
de calopsitte
élégante

Plume
de perruche ondulée

66 Apprendre au plus grand nombre
un savoir menacé de se perdre
en le fixant par l'image :
ce fut, il y a deux siècles, le pari des Encyclopédistes.
Aujourd'hui la photographie permet d'aller plus loin
dans l'indispensable transfert des connaissances.
Mais il faut que l'objectif soit vraiment objectif
et que la qualité de la reproduction soit à la hauteur de cette ambition.
C'est le défi que relève Gallimard avec
«Les yeux de la découverte».
Une collection où l'image triomphe
sans trahir le texte des savants.
Nous voulons inventer un nouveau langage
qui prenne le contre-pied des informations audiovisuelles,
trop souvent superficielles et parcellaires,
et qui, par sa cohérence,
amène à la vraie découverte et à la compréhension.
Les pages de ce livre révèlent au lecteur
les animaux les plus fascinants et les plus populaires.
Ils sont chasseurs, pêcheurs ou simplement granivores.
Beaucoup sont des voyageurs long-courriers. Prédateurs aussi.
De l'oiseau préhistorique au martinet,
leur histoire, celle d'un œuf, stupéfie.
Comme si la nature leur avait donné tous les dons :
corps aérodynamique, art du camouflage,
plumes multicolores, chants variés.
Un grand spectacle commenté par les meilleurs spécialistes
du Muséum National d'Histoire Naturelle de Paris
et du British Museum (Natural History Museum) de Londres.
Une documentation unique
pour découvrir la morphologie des oiseaux
et comprendre comment ils volent.
nagent ou marchent,
bref, comment ils vivent. **99**

L'éditeur

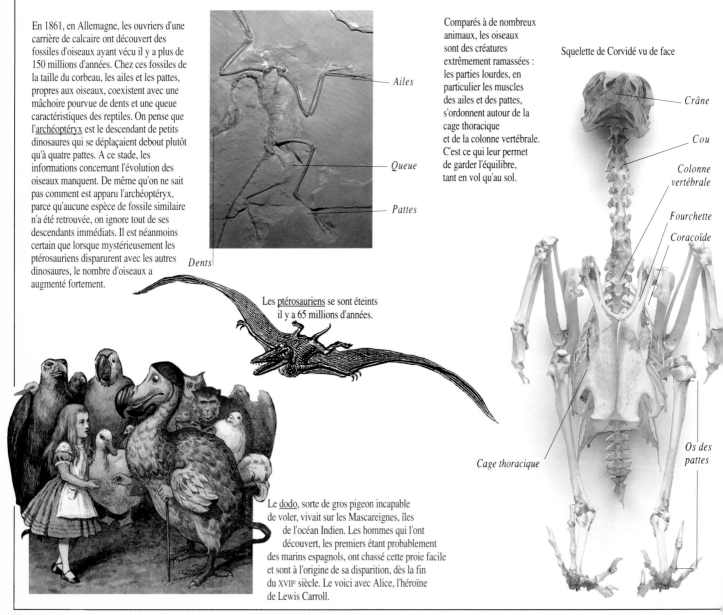

Archéoptéryx

TOUT A COMMENCÉ PAR L'ENVOL DU LÉZARD...

Il y a deux cents millions d'années, bien avant l'apparition des premiers hommes, les seules créatures volantes existant alors sur terre étaient des insectes. C'est vers cette époque qu'un petit animal proche du lézard, aux membres munis de replis cutanés, en vint, de saut en saut, à planer entre les arbres sur lesquels il vivait. Un modeste début qui allait, progressivement, conduire à l'avènement des reptiles volants géants : les ptérosauriens qui régnèrent dans les airs pendant plusieurs millions d'années. Ces reptiles planaient plus qu'ils ne volaient, à l'aide d'ailes membraneuses dont l'envergure pouvait atteindre dix mètres ! Ces ailes étaient lourdes, se repliaient difficilement lorsque l'animal était à terre et, s'il arrivait qu'elles se déchirent, le reptile avait alors peu de chances de pouvoir voler à nouveau. Cette difficulté fut surmontée avec l'apparition, au cours de l'évolution animale, d'un organe nouveau : la plume.

En 1861, en Allemagne, les ouvriers d'une carrière de calcaire ont découvert des fossiles d'oiseaux ayant vécu il y a plus de 150 millions d'années. Chez ces fossiles de la taille du corbeau, les ailes et les pattes, propres aux oiseaux, coexistent avec une mâchoire pourvue de dents et une queue caractéristiques des reptiles. On pense que l'archéoptéryx est le descendant de petits dinosaures qui se déplaçaient debout plutôt qu'à quatre pattes. A ce stade, les informations concernant l'évolution des oiseaux manquent. De même qu'on ne sait pas comment est apparu l'archéoptéryx, parce qu'aucune espèce de fossile similaire n'a été retrouvée, on ignore tout de ses descendants immédiats. Il est néanmoins certain que lorsque mystérieusement les ptérosauriens disparurent avec les autres dinosaures, le nombre d'oiseaux a augmenté fortement.

Ailes

Queue

Pattes

Dents

Les ptérosauriens se sont éteints il y a 65 millions d'années.

Comparés à de nombreux animaux, les oiseaux sont des créatures extrêmement ramassées : les parties lourdes, en particulier les muscles des ailes et des pattes, s'ordonnent autour de la cage thoracique et de la colonne vertébrale. C'est ce qui leur permet de garder l'équilibre, tant en vol qu'au sol.

Squelette de Corvidé vu de face

Crâne

Cou

Colonne vertébrale

Fourchette

Coracoïde

Cage thoracique

Os des pattes

Le dodo, sorte de gros pigeon incapable de voler, vivait sur les Mascareignes, îles de l'océan Indien. Les hommes qui l'ont découvert, les premiers étant probablement des marins espagnols, ont chassé cette proie facile et sont à l'origine de sa disparition, dès la fin du XVIIe siècle. Le voici avec Alice, l'héroïne de Lewis Carroll.

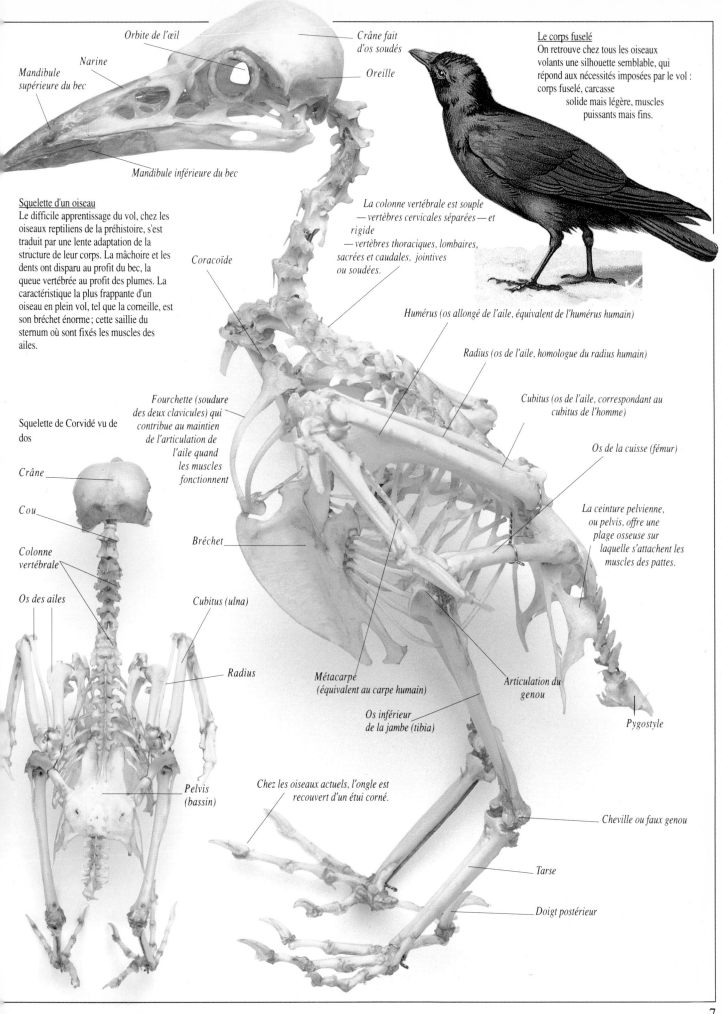

Orbite de l'œil

Narine

Mandibule
supérieure du bec

Crâne fait
d'os soudés

Oreille

Mandibule inférieure du bec

Le corps fuselé
On retrouve chez tous les oiseaux
volants une silhouette semblable, qui
répond aux nécessités imposées par le vol :
corps fuselé, carcasse
solide mais légère, muscles
puissants mais fins.

Squelette d'un oiseau
Le difficile apprentissage du vol, chez les
oiseaux reptiliens de la préhistoire, s'est
traduit par une lente adaptation de la
structure de leur corps. La mâchoire et les
dents ont disparu au profit du bec, la
queue vertébrée au profit des plumes. La
caractéristique la plus frappante d'un
oiseau en plein vol, tel que la corneille, est
son bréchet énorme ; cette saillie du
sternum où sont fixés les muscles des
ailes.

Coracoïde

La colonne vertébrale est souple
— vertèbres cervicales séparées — et
rigide
— vertèbres thoraciques, lombaires,
sacrées et caudales, jointives
ou soudées.

Humérus (os allongé de l'aile, équivalent de l'humérus humain)

Radius (os de l'aile, homologue du radius humain)

Cubitus (os de l'aile, correspondant au
cubitus de l'homme)

Os de la cuisse (fémur)

**Squelette de Corvidé vu de
dos**

Crâne

Cou

Colonne
vertébrale

Os des ailes

Fourchette (soudure
des deux clavicules) qui
contribue au maintien
de l'articulation de
l'aile quand
les muscles
fonctionnent

La ceinture pelvienne,
ou pelvis, offre une
plage osseuse sur
laquelle s'attachent les
muscles des pattes.

Bréchet

Cubitus (ulna)

Radius

Métacarpe
(équivalent au carpe humain)

Articulation du
genou

Pygostyle

Os inférieur
de la jambe (tibia)

Pelvis
(bassin)

Chez les oiseaux actuels, l'ongle est
recouvert d'un étui corné.

Cheville ou faux genou

Tarse

Doigt postérieur

ET L'ÉCAILLE DEVINT PLUME

De tous les animaux, l'oiseau est celui dont l'anatomie offre le plus de similitude parmi la grande variété de ses espèces. Qu'il s'agisse du colibri d'Hélène, qui ne pèse que 1,60 g, soit beaucoup moins que de nombreux papillons des forêts tropicales qu'il habite, ou du plus grand des albatros, dont l'envergure peut atteindre 3,50 m, on reconnaît un corps pareillement adapté aux exigences imposées par le vol.

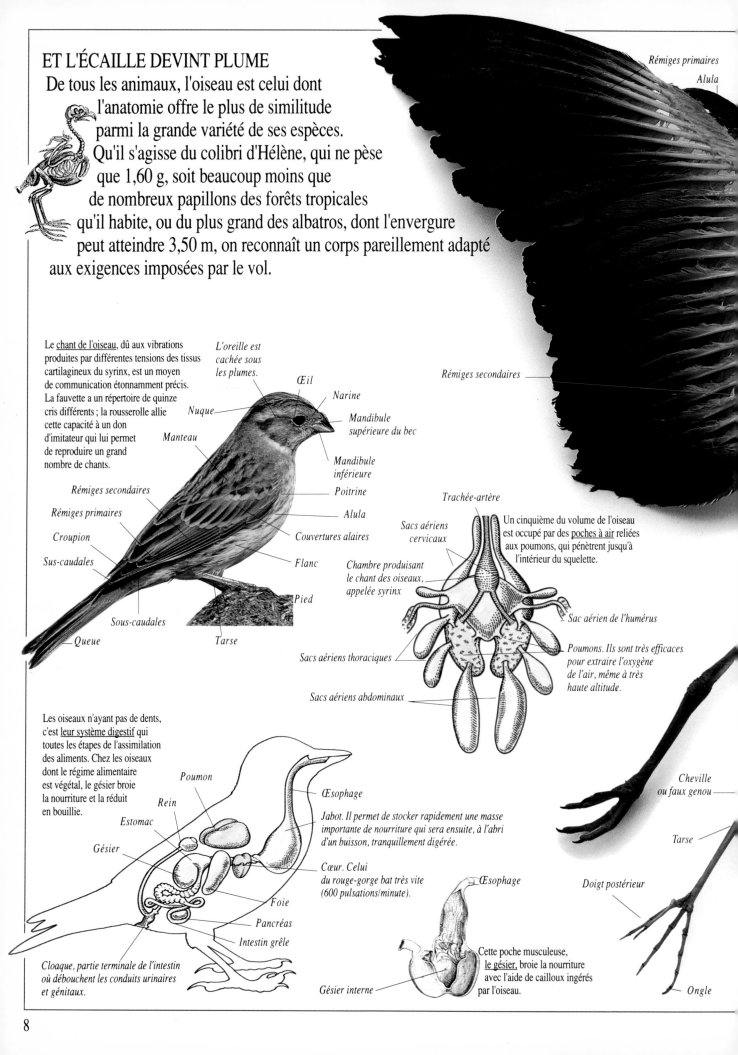

Le chant de l'oiseau, dû aux vibrations produites par différentes tensions des tissus cartilagineux du syrinx, est un moyen de communication étonnamment précis. La fauvette a un répertoire de quinze cris différents ; la rousserolle allie cette capacité à un don d'imitateur qui lui permet de reproduire un grand nombre de chants.

L'oreille est cachée sous les plumes.

Œil

Narine

Nuque

Mandibule supérieure du bec

Manteau

Mandibule inférieure

Poitrine

Rémiges secondaires

Alula

Rémiges primaires

Couvertures alaires

Croupion

Flanc

Sus-caudales

Pied

Sous-caudales

Queue

Tarse

Rémiges primaires

Alula

Rémiges secondaires

Trachée-artère

Sacs aériens cervicaux

Un cinquième du volume de l'oiseau est occupé par des poches à air reliées aux poumons, qui pénètrent jusqu'à l'intérieur du squelette.

Chambre produisant le chant des oiseaux, appelée syrinx

Sac aérien de l'humérus

Poumons. Ils sont très efficaces pour extraire l'oxygène de l'air, même à très haute altitude.

Sacs aériens thoraciques

Sacs aériens abdominaux

Les oiseaux n'ayant pas de dents, c'est leur système digestif qui toutes les étapes de l'assimilation des aliments. Chez les oiseaux dont le régime alimentaire est végétal, le gésier broie la nourriture et la réduit en bouillie.

Poumon

Œsophage

Rein

Estomac

Jabot. Il permet de stocker rapidement une masse importante de nourriture qui sera ensuite, à l'abri d'un buisson, tranquillement digérée.

Gésier

Cœur. Celui du rouge-gorge bat très vite (600 pulsations/minute).

Foie

Œsophage

Pancréas

Intestin grêle

Cheville ou faux genou

Tarse

Doigt postérieur

Cloaque, partie terminale de l'intestin où débouchent les conduits urinaires et génitaux.

Gésier interne

Cette poche musculeuse, le gésier, broie la nourriture avec l'aide de cailloux ingérés par l'oiseau.

Ongle

8

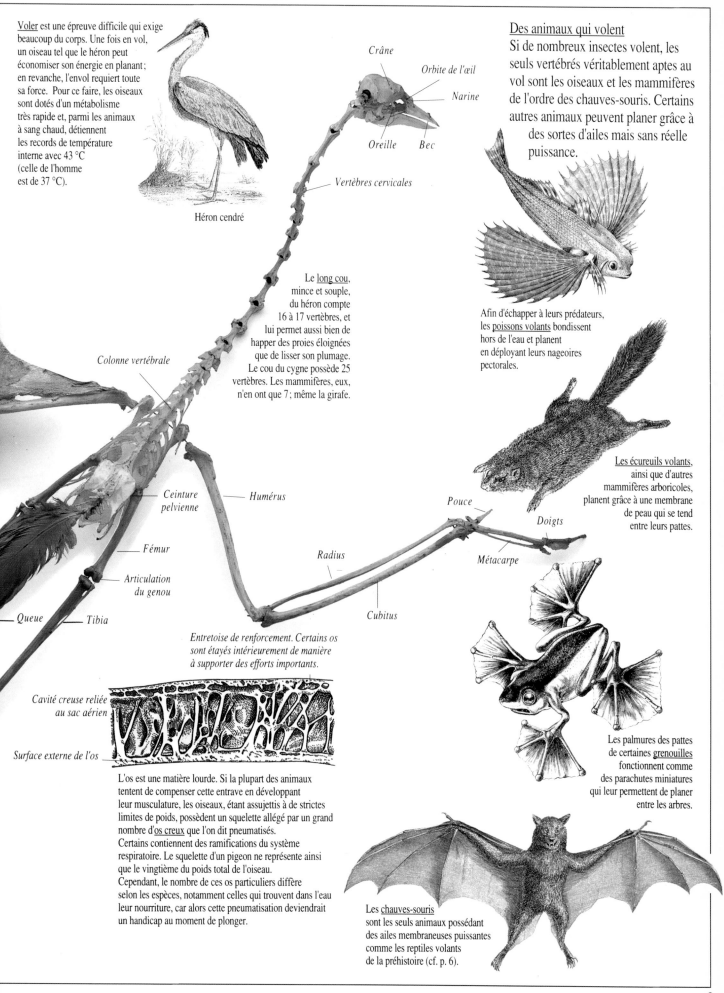

Voler est une épreuve difficile qui exige beaucoup du corps. Une fois en vol, un oiseau tel que le héron peut économiser son énergie en planant; en revanche, l'envol requiert toute sa force. Pour ce faire, les oiseaux sont dotés d'un métabolisme très rapide et, parmi les animaux à sang chaud, détiennent les records de température interne avec 43 °C (celle de l'homme est de 37 °C).

Héron cendré

Crâne

Orbite de l'œil

Narine

Oreille

Bec

Vertèbres cervicales

Le long cou, mince et souple, du héron compte 16 à 17 vertèbres, et lui permet aussi bien de happer des proies éloignées que de lisser son plumage. Le cou du cygne possède 25 vertèbres. Les mammifères, eux, n'en ont que 7; même la girafe.

Colonne vertébrale

Ceinture pelvienne

Humérus

Fémur

Radius

Articulation du genou

Queue   Tibia

Cubitus

Entretoise de renforcement. Certains os sont étayés intérieurement de manière à supporter des efforts importants.

Cavité creuse reliée au sac aérien

Surface externe de l'os

L'os est une matière lourde. Si la plupart des animaux tentent de compenser cette entrave en développant leur musculature, les oiseaux, étant assujettis à de strictes limites de poids, possèdent un squelette allégé par un grand nombre d'os creux que l'on dit pneumatisés. Certains contiennent des ramifications du système respiratoire. Le squelette d'un pigeon ne représente ainsi que le vingtième du poids total de l'oiseau. Cependant, le nombre de ces os particuliers diffère selon les espèces, notamment celles qui trouvent dans l'eau leur nourriture, car alors cette pneumatisation deviendrait un handicap au moment de plonger.

Des animaux qui volent

Si de nombreux insectes volent, les seuls vertébrés véritablement aptes au vol sont les oiseaux et les mammifères de l'ordre des chauves-souris. Certains autres animaux peuvent planer grâce à des sortes d'ailes mais sans réelle puissance.

Afin d'échapper à leurs prédateurs, les poissons volants bondissent hors de l'eau et planent en déployant leurs nageoires pectorales.

Les écureuils volants, ainsi que d'autres mammifères arboricoles, planent grâce à une membrane de peau qui se tend entre leurs pattes.

Pouce

Doigts

Métacarpe

Les palmures des pattes de certaines grenouilles fonctionnent comme des parachutes miniatures qui leur permettent de planer entre les arbres.

Les chauves-souris sont les seuls animaux possédant des ailes membraneuses puissantes comme les reptiles volants de la préhistoire (cf. p. 6).

JE SUIS   OISEAU : VOYEZ MES AILES !

Les tentatives de l'homme pour imiter les ailes
à la fois légères, solides et flexibles des oiseaux
se sont toujours soldées par des échecs. Leur structure, composée
de nombreuses parties qui s'articulent, se déforment ou se tordent sous
les poussées de l'air, fait d'elles une mécanique extraordinairement complexe,
impossible à reproduire. Leur taille et leur forme
varient selon le mode de vie particulier à chaque espèce,
mais toutes présentent des caractéristiques identiques. L'aile
reproduite sur ces pages appartient à un rapace
nocturne (une chouette).

Les ailes d'un oiseau peuvent supporter
son poids plus un léger bagage (nourriture,
matériaux destinés au nid) ; une charge plus
lourde, comme nous le suggèrent nombre
de contes pour enfants, est absolument
impensable.

Selon la légende, Icare, durant son
vol, s'approcha trop du soleil,
ce qui fit fondre la cire qui
maintenait ses ailes. La réalité
est bien différente ; à haute
altitude, les oiseaux doivent
en fait surmonter le froid
intense ainsi que l'air raréfié
et le manque d'oxygène.

Léonard de Vinci, anatomiste éminent, mit à profit ses connaissances
sur les ailes d'oiseaux pour dessiner des machines volantes.
Il remplaça leurs os par du bois, leurs tendons par
des cordes et leurs plumes par de la toile à voile.
Mais il semble qu'aucun de ces appareils
ne dépassât le stade de l'ébauche. De plus,
ils auraient vraisemblablement
été trop lourds.

En vol lent,
afin d'éviter les pertes d'équilibre,
l'oiseau tient ouvert ce groupe
de plumes, dit l'alula.

Les héroïques
hommes-oiseaux
des temps anciens
ne se rendaient pas
compte que voler en
battant des ailes serait
toujours hors de portée
des muscles humains. L'homme n'a réellement
réussi à voler qu'avec l'aide de propulseurs.

Les dix rémiges primaires
sont les plumes qui produisent
la poussée lorsque l'oiseau bat
des ailes. Celles situées à la pointe externe
peuvent modifier l'orientation du vol,
à la manière des volets des ailes d'avion.

Canard colvert en vol

Phalange   *Pouce*   *Métacarpe*   *Os de l'avant-bras*

Doigts

Les "trois doigts" de la main et le poignet servent de support aux rémiges primaires. L'"avant-bras" et le "bras" de l'aile portent les rémiges secondaires et tertiaires.

Partie de l'humérus

Les plumes appelées petites couvertures forment la partie de l'aile la plus exposée au frottement de l'air.

Alignées à la base des rémiges, les grandes couvertures forment une surface courbe très étendue, contribuant à l'étanchéité de l'aile.

Les rémiges tertiaires sont les plumes de vol internes. Elles relient les ailes au corps, évitant les turbulences de l'air pendant le vol.

Développés à partir d'un même type de membre, l'aile et le bras humain ont cependant évolué différemment, en fonction du travail qui leur était demandé. L'aile ne possède que trois doigts ; deux d'entre eux et certains os du métacarpe se sont soudés. Les correspondances entre les os sont ici indiquées en couleur.

Accrochées sur l'avant-bras, les rémiges secondaires présentent une courbure très propice à la poussée.

Os d'aile d'oiseau

Os de bras humain

11

Pinson des arbres

À CHAQUE MODE DE VIE CORRESPOND UN TYPE D'AILE

Pour de nombreux oiseaux, il est beaucoup plus important de savoir voler à grande vitesse sur une courte distance, pour poursuivre une proie ou échapper à un prédateur, que de savoir rester sur place dans les airs. Les ailes les mieux adaptées à ce type de vol sont larges et arrondies, car elles permettent une bonne accélération et de brusques changements de direction. Cette forme d'ailes est caractéristique des oiseaux peuplant les espaces boisés, comme le pic, et de ceux vivant au sol, comme le pinson.

La chouette effraie a un vol lent, léger et feutré que n'entendent pas les proies dont elle se nourrit.

Aile de verdier

Les <u>Fringillidés</u> ferment périodiquement les ailes pour économiser leur énergie.

Verdier d'Europe

Comme celle de nombreux Fringillidés, l'aile du verdier, à l'extrémité large et arrondie, est adaptée au <u>vol capricieux</u> et de courte durée.

Couvertures duveteuses

Le bord frangé atténue le bruit du vol.

La <u>chouette effraie</u> possède un plumage si moelleux qu'au toucher il évoque une fourrure.

Aile de chouette effraie

Rollier d'Europe

De la taille du geai, le rollier chasse depuis un perchoir dégagé (arbre, poteau électrique...). Il s'abat sur ses proies (insectes, petits animaux) puis regagne son poste d'un <u>vol nonchalant</u>.

Les plumes mouchetées lui permettent de passer inaperçue au sol.

La forme pointue de l'aile de la tourterelle favorise les battements rapides et ininterrompus de son vol.

L'aile du rollier possède de larges rémiges adaptées aux vols aisés et réguliers.

Comme la plupart des Columbidés, la tourterelle est chassée par de nombreux prédateurs et plus encore par l'homme. Ses puissants muscles pectoraux – un tiers de son poids – lui permettent, après <u>décollage rapide</u>, d'atteindre la vitesse de 80 km/h.

Tourterelle des bois

Aile de pivert

Le vol du pic
est lent et ondulant.

Faisans en vol

En sous-bois, il est vital d'avoir un vol parfaitement maîtrisé. Les ailes courtes et arrondies du pivert sont adaptées aux virages soudains, négociés pour éviter les obstacles, et aux atterrissages amortis sur les arbres.

Aile de faisan

Le plumage des femelles de presque tous les Gallinacés, couleur feuille morte, sert au camouflage ; celui des mâles est plus voyant.

Plumes mouchetées de l'aile interne

Les faisans ne se lèvent qu'en cas de danger. Ils décollent alors bruyamment, en déployant leurs larges ailes, et s'éloignent en planant en ligne droite. Pendant la parade nuptiale, les mâles battent volontiers des ailes pour séduire les femelles.

Comme les faisans, les tétras, ou coqs de bruyère, passent une bonne partie de leur temps à terre. Ils s'immobilisent, se tapissent au sol et ne se lèvent qu'au dernier moment. Leur vol, constitué de rapides battements d'ailes suivis de vols planés, ne couvre que de courtes distances.

On reconnaît le vol des faisans à leurs battements d'ailes rapides suivis d'un long vol plané.

Aile de tétras-lyre femelle

Tétras-lyre femelle

La longueur de ses rémiges permet au tétras de planer.

Aile de tétras-lyre mâle

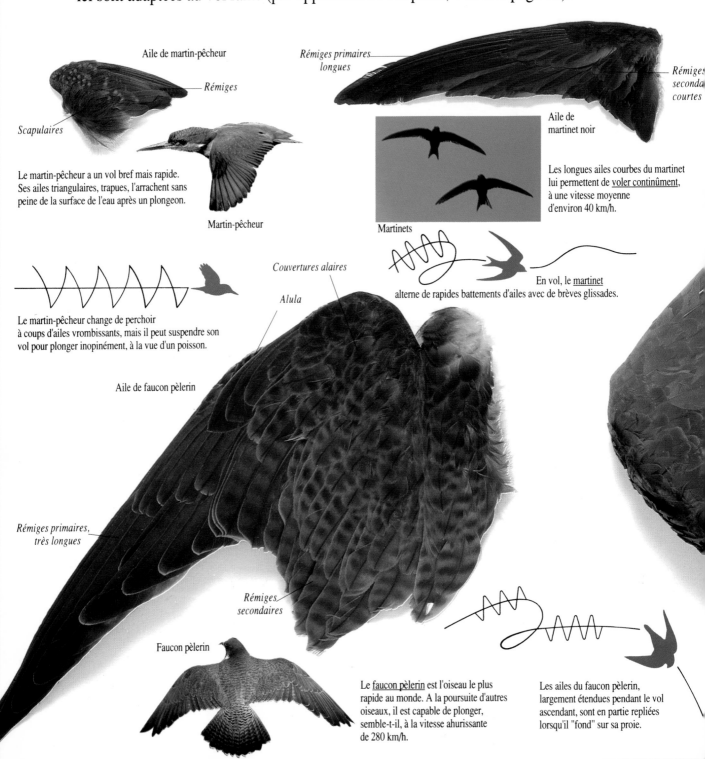

LES OISEAUX MIGRATEURS AUX AILES DE LONG-COURRIERS

Quand un martinet se pose, pour nicher, il met fin à un vol qui peut avoir duré trois ans.
A l'instar du martinet, de nombreuses autres espèces d'oiseaux ne se posent
que pour se reproduire. Leurs ailes, courbes et effilées, sont donc
parfaitement adaptées au vol de longue durée. Chez tous les oiseaux,
la forme des ailes est fonction du vol qui leur est propre. Ainsi, les oiseaux qui,
tel le martinet, ont un vol puissant et rapide, possèdent des ailes pointues,
ce qui permet une poussée optimale face à la résistance de l'air. Toutes les ailes présentées
ici sont adaptées au vol ramé (par opposition au vol plané, voir à la page 16).

Aile de martin-pêcheur

Rémiges

Scapulaires

Le martin-pêcheur a un vol bref mais rapide.
Ses ailes triangulaires, trapues, l'arrachent sans
peine de la surface de l'eau après un plongeon.

Martin-pêcheur

*Rémiges primaires
longues*

*Rémiges
seconda...
courtes*

Aile de
martinet noir

Les longues ailes courbes du martinet
lui permettent de voler continûment,
à une vitesse moyenne
d'environ 40 km/h.

Martinets

En vol, le martinet
alterne de rapides battements d'ailes avec de brèves glissades.

Le martin-pêcheur change de perchoir
à coups d'ailes vrombissants, mais il peut suspendre son
vol pour plonger inopinément, à la vue d'un poisson.

Couvertures alaires

Alula

Aile de faucon pèlerin

*Rémiges primaires,
très longues*

*Rémiges
secondaires*

Faucon pèlerin

Le faucon pèlerin est l'oiseau le plus
rapide au monde. A la poursuite d'autres
oiseaux, il est capable de plonger,
semble-t-il, à la vitesse ahurissante
de 280 km/h.

Les ailes du faucon pèlerin,
largement étendues pendant le vol
ascendant, sont en partie repliées
lorsqu'il "fond" sur sa proie.

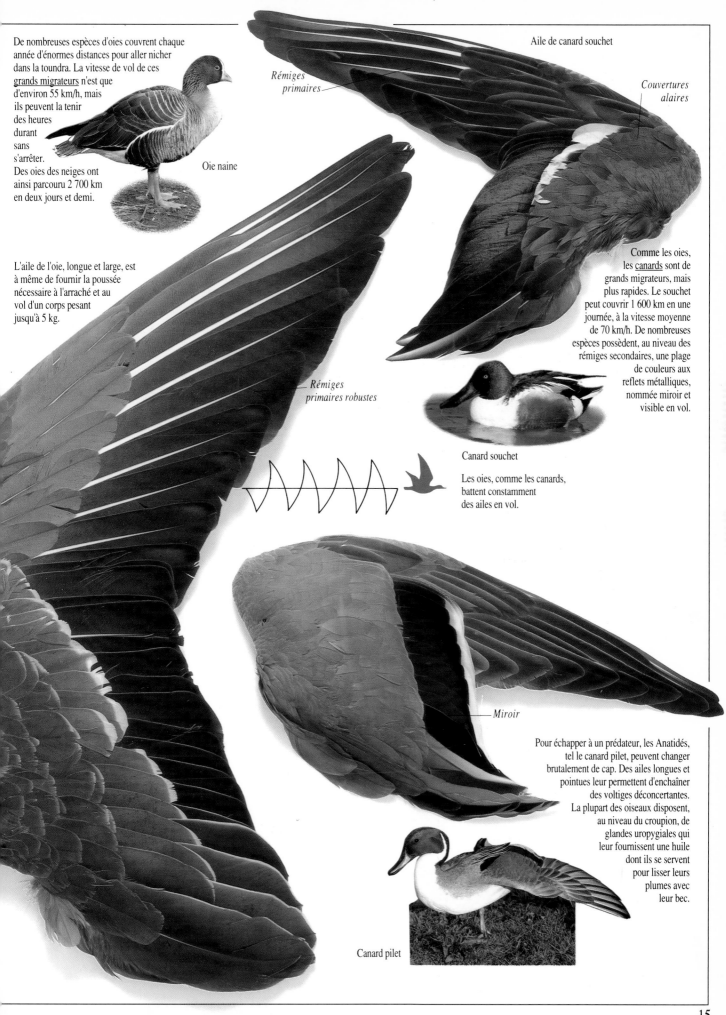

De nombreuses espèces d'oies couvrent chaque année d'énormes distances pour aller nicher dans la toundra. La vitesse de vol de ces grands migrateurs n'est que d'environ 55 km/h, mais ils peuvent la tenir des heures durant sans s'arrêter. Des oies des neiges ont ainsi parcouru 2 700 km en deux jours et demi.

Oie naine

Aile de canard souchet

Rémiges primaires

Couvertures alaires

L'aile de l'oie, longue et large, est à même de fournir la poussée nécessaire à l'arraché et au vol d'un corps pesant jusqu'à 5 kg.

Rémiges primaires robustes

Comme les oies, les canards sont de grands migrateurs, mais plus rapides. Le souchet peut couvrir 1 600 km en une journée, à la vitesse moyenne de 70 km/h. De nombreuses espèces possèdent, au niveau des rémiges secondaires, une plage de couleurs aux reflets métalliques, nommée miroir et visible en vol.

Canard souchet

Les oies, comme les canards, battent constamment des ailes en vol.

Miroir

Pour échapper à un prédateur, les Anatidés, tel le canard pilet, peuvent changer brutalement de cap. Des ailes longues et pointues leur permettent d'enchaîner des voltiges déconcertantes. La plupart des oiseaux disposent, au niveau du croupion, de glandes uropygiales qui leur fournissent une huile dont ils se servent pour lisser leurs plumes avec leur bec.

Canard pilet

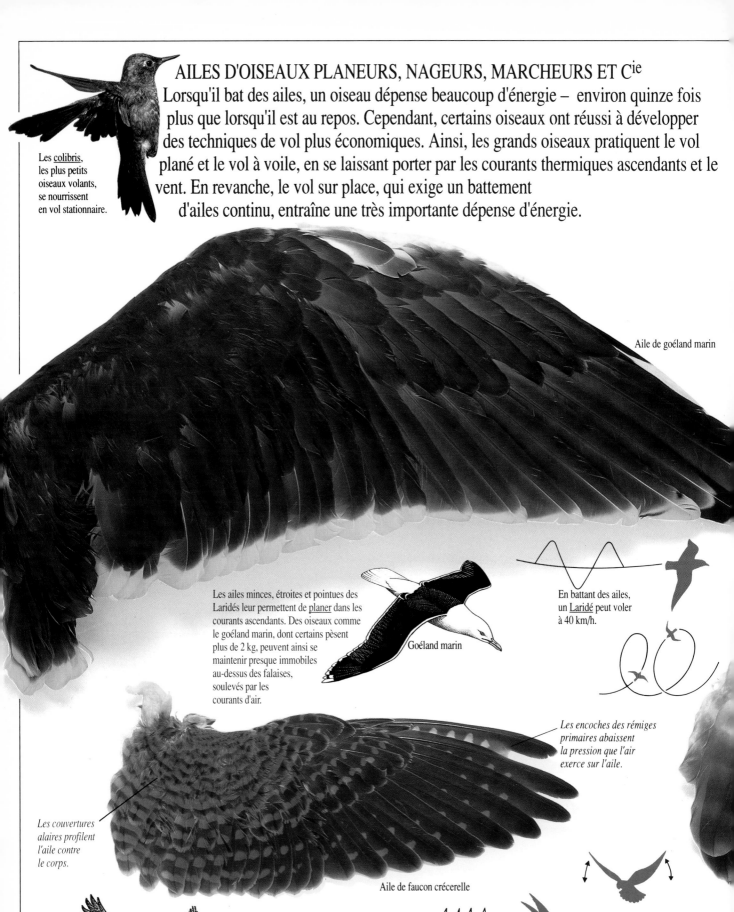

AILES D'OISEAUX PLANEURS, NAGEURS, MARCHEURS ET Cie

Lorsqu'il bat des ailes, un oiseau dépense beaucoup d'énergie – environ quinze fois plus que lorsqu'il est au repos. Cependant, certains oiseaux ont réussi à développer des techniques de vol plus économiques. Ainsi, les grands oiseaux pratiquent le vol plané et le vol à voile, en se laissant porter par les courants thermiques ascendants et le vent. En revanche, le vol sur place, qui exige un battement d'ailes continu, entraîne une très importante dépense d'énergie.

Les colibris, les plus petits oiseaux volants, se nourrissent en vol stationnaire.

Aile de goéland marin

Les ailes minces, étroites et pointues des Laridés leur permettent de planer dans les courants ascendants. Des oiseaux comme le goéland marin, dont certains pèsent plus de 2 kg, peuvent ainsi se maintenir presque immobiles au-dessus des falaises, soulevés par les courants d'air.

Goéland marin

En battant des ailes, un Laridé peut voler à 40 km/h.

Les encoches des rémiges primaires abaissent la pression que l'air exerce sur l'aile.

Les couvertures alaires profilent l'aile contre le corps.

Aile de faucon crécerelle

Faucon crécerelle

Le vol stationnaire exige une grande vigueur : beaucoup d'oiseaux peuvent le pratiquer momentanément, mais seuls quelques-uns sont capables de le tenir longtemps. Le faucon crécerelle est de ceux-là : il voltige haut dans le ciel, se tenant immobile face au vent, et repère ainsi ses proies (petits mammifères et oiseaux).

Le faucon crécerelle pratique le vol voltigeant typique des faucons.

Le faucon crécerelle réussit à maintenir sa position dans le ciel en battant rapidement des ailes, face au vent, la queue largement déployée.

y a des millions d'années, des iseaux géants incapables de oler erraient sur la terre. Actuellement, seules survivent uelques dizaines d'espèces non olantes (cf. p. 6-7).

Aile de manchot

Pale de l'aile rigide fonctionnant comme un propulseur

Plumes très denses

Contrairement aux autres oiseaux, les manchots ne peuvent pas replier leurs ailes. Ils s'en servent dans l'eau comme de propulseurs qui leur permettent d'atteindre de grandes profondeurs (- 250 m pour le manchot empereur). Ils nagent ainsi en volant sous l'eau.

Manchots Adélie

Aile de nandou

Nandou

Les plumes alaires duveteuses isolent le corps, mais ne fournissent aucune poussée pour l'envol.

Les nandous, d'Amérique du Sud, ressemblent à leurs congénères. Il leur manque cependant les plus belles plumes de l'autruche qui vit en Afrique.

Les ornithologues ont déterminé qu'aucun oiseau de plus de 18 kg n'est en mesure de voler car, au-delà de ce poids, la puissance musculaire est insuffisante pour le maintenir en l'air. L'autruche, qui atteint en moyenne 120 kg, dépasse près de 7 fois ce poids limite. Ses ailes courtes, pourvues de 16 rémiges duveteuses, ne peuvent lui permettre de voler. En revanche, elle court à plus de 50 km/h.

Durant le vol plané, l'aile, habituellement rectiligne, s'incurve vers le haut.

Les rémiges primaires sont utilisées pour manœuvrer au plus près.

Les "doigts alaires" contribuent à réduire les turbulences de l'air.

Aile de buse variable

Les grands rapaces comme la buse variable pratiquent le vol plané dans les ascendances thermiques (colonnes d'air échauffé au contact du sol). Quelques battements d'ailes leur suffisent alors pour garder l'équilibre et se déplacer.

Buse variable

Des rémiges secondaires larges procurent une poussée efficace quand l'oiseau plane dans un courant d'air chaud.

Comme tous les oiseaux planeurs, la buse variable vire étroitement sur l'aile pour se maintenir dans le courant d'air ascendant.

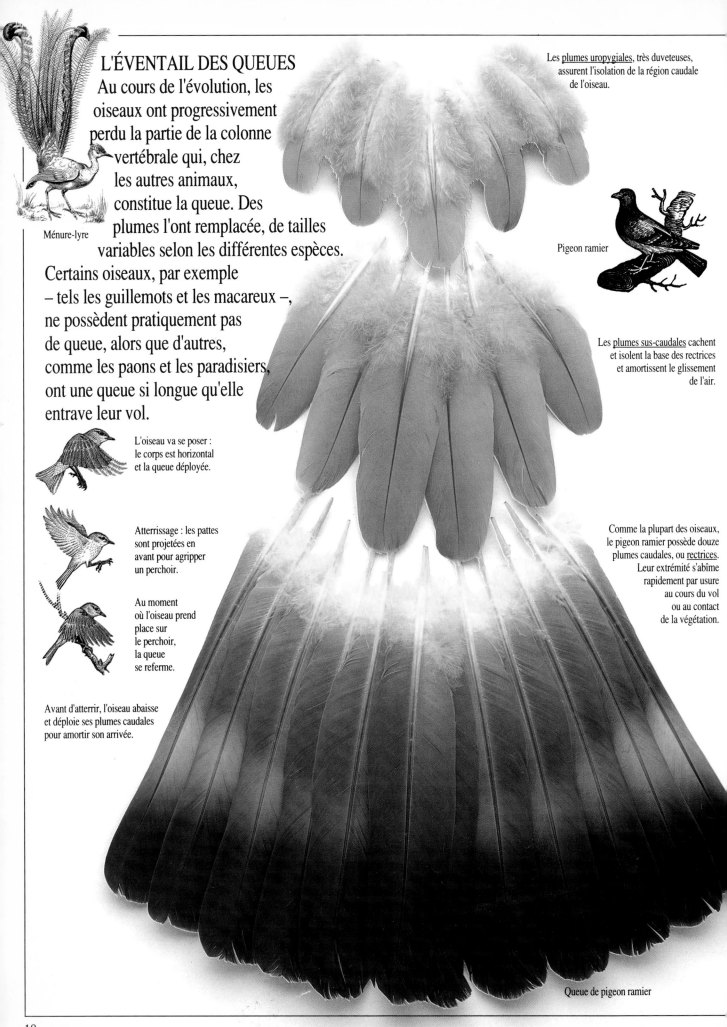

L'ÉVENTAIL DES QUEUES

Au cours de l'évolution, les oiseaux ont progressivement perdu la partie de la colonne vertébrale qui, chez les autres animaux, constitue la queue. Des plumes l'ont remplacée, de tailles variables selon les différentes espèces.

Certains oiseaux, par exemple – tels les guillemots et les macareux –, ne possèdent pratiquement pas de queue, alors que d'autres, comme les paons et les paradisiers, ont une queue si longue qu'elle entrave leur vol.

Ménure-lyre

L'oiseau va se poser : le corps est horizontal et la queue déployée.

Atterrissage : les pattes sont projetées en avant pour agripper un perchoir.

Au moment où l'oiseau prend place sur le perchoir, la queue se referme.

Avant d'atterrir, l'oiseau abaisse et déploie ses plumes caudales pour amortir son arrivée.

Les plumes uropygiales, très duveteuses, assurent l'isolation de la région caudale de l'oiseau.

Pigeon ramier

Les plumes sus-caudales cachent et isolent la base des rectrices et amortissent le glissement de l'air.

Comme la plupart des oiseaux, le pigeon ramier possède douze plumes caudales, ou rectrices. Leur extrémité s'abîme rapidement par usure au cours du vol ou au contact de la végétation.

Queue de pigeon ramier

18

Les <u>plumes caudales</u> (rectrices)
possèdent de multiples
combinaisons de formes, de
tailles, de couleurs,
particulièrement remarquables
à l'époque de la pariade.

Le canard colvert mâle a deux <u>plumes
sus-caudales enroulées</u> à la base de la
queue. Quand il fait sa cour, il les soulève
en redressant la tête. Celles de la femelle
sont droites.

Les <u>ocelles</u> de la queue du paon (sus-caudales), étagées jusqu'aux plumes
courtes de la base de la queue, forment un magnifique éventail
qu'il déploie pour séduire la femelle.

Plume en cours
de croissance

Les stries claires
visibles sur
cette plume
caudale de
perroquet sont
dues à des
<u>changements
d'alimentation</u>
au cours de la
croissance
des plumes.

*Rachis de
la plume
(ourreau)*

Plume arrivée
à maturité

Les <u>couleurs des perruches ondulées</u>
sont le résultat de croisements
organisés par l'homme.
Les perruches sauvages
sont uniquement vertes.

Tuyau

Rectrices de faucon crécerelle à la
période de la mue : en cours de croissance
(à gauche), adulte (à droite)

Rectrices de courlis

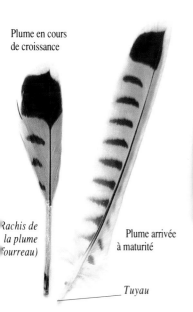

La queue des <u>Phasianidés</u>
peut être extrêmement
longue. Pourtant, cette
plume caudale de faisan
paraîtrait ridiculement
courte à côté de celles
du coq du Japon, qui
peuvent atteindre 10,5 m.

Les rectrices
<u>externes</u>, celles
qui sont le plus
éloignées du centre
de la queue, sont
dissymétriques chez tous les oiseaux.
En vol, lorsque la queue est déployée,
cette forme permet d'offrir une large
surface à la résistance de l'air.

Les longues
plumes caudales
de la pie, apparemment noires,
sont en fait très colorées.
Comme pour les rémiges d'ara
(p. 24), ces effets de couleurs sont produits
par la <u>réfraction de la lumière.</u>

Plume caudale médiane
de buse variable

COSTUMES DE PARADE : LES PIÈGES SOMPTUEUX DE LA SÉDUCTION

Paradisier de Raggi

Les comportements amoureux des oiseaux figurent parmi les phénomènes les plus singuliers et les plus fascinants du monde animal. S'ils ne divorcent pas systématiquement, les oiseaux adoptent, par contre, presque tous les modes d'union matrimoniale possibles. Certains mâles, après avoir repoussé leurs concurrents en délimitant leur territoire, attirent une partenaire à laquelle ils resteront fidèles leur vie durant. D'autres profitent de leur plumage éclatant pour séduire plusieurs partenaires qu'ils abandonnent après l'accouplement. Les mâles attirent les femelles en exhibant leur plumage nuptial, leurs pattes brillamment colorées, leur jabot extensible ou leur aigrette. Ces exhibitions sont associées à des manifestations sonores (cris et chants) et des mouvements rituels — hochements de la tête, danses insolites, parades extravagantes.

Chez les phalaropes à bec large, les rôles sont inversés : c'est la femelle qui, dotée du plumage le plus chatoyant, fait la cour au mâle, lequel se charge de l'incubation et de l'élevage des jeunes. Cette situation assez rare ne se rencontre que dans quelques familles d'oiseaux.

Les paons font partie de la famille des Phasianidés, qui présente des plumages de parade parmi les plus élaborés et les plus spectaculaires de la faune ailée.

En observant le paon de dos, on s'aperçoit que ce sont les plumes courtes et rigides, de couleur brune de sa "vraie" queue, qui soutiennent celles, longues et merveilleuses, de la couverture caudale.

Les ménures-lyres mâles aménagent des "arènes" dans lesquelles ils se pavanent et paradent, afin d'attirer des compagnes.

Les plumes dépourvues de barbules (cf. p. 21) ne s'accrochent pas entre elles, ce qui les fait paraître mouvantes.

Extrémité du rachis

C'est seulement au siècle dernier que des naturalistes, qui exploraient les forêts de Nouvelle-Guinée, ont pu observer comment les paradisiers de Raggi mâles utilisaient leurs parures exceptionnelles.

Base de la queue

Plume centrale striée

Le mâle de frégate superbe arbore une poche jugulaire rouge vif. L'oiseau peut la garder gonflée plusieurs heures jusqu'à ce qu'une femelle séduite le rejoigne.

Bien que les fous nichent en colonies tres importantes, chaque individu attaque tout voisin qui pénètre sur son minuscule territoire. Quand des couples se rencontrent, d'interminables cérémonies de parade sont nécessaires pour désamorcer les instincts agressifs. Ici, deux fous à pieds bleus exécutent la "parade du pélican", pointant chacun leur bec hors de portée de l'autre.

Au moment de la parade nuptiale, ils se perchent, puis basculent, se balancent, suspendus dans le vide, déployant les plumes chatoyantes de leur queue en une véritable fontaine de couleurs.

Au début de la période nuptiale, en avril, le bec du macareux moine s'orne de pièces cornées de couleurs éclatantes. Après quelques mois, celles-ci tombent alors que se termine la nidification au sommet des falaises. Pour le macareux, c'est le moment de gagner la haute mer où il passera l'hiver.

La parade nuptiale des grèbes huppés donne lieu à d'étonnants ballets aquatiques. Après une révérence, ils agitent leur tête ornée d'aigrettes, à gauche et à droite, comme s'ils évitaient de se regarder. Ils plongent soudain et réapparaissent, le bec chargé d'herbes aquatiques. Au cours de la "danse du pingouin", les deux oiseaux se dressent et, dé concert, courent sur l'eau côte à côte avant d'échanger leurs présents. Ils engagent la construction du nid. Ces manifestations amoureuses se poursuivent bien après l'accouplement.

Les colibris mâles, bien que minuscules, sont très agressifs et défendent leur territoire avec vigueur.

PAS VU, PAS PRIS : LE CAMOUFLAGE

Il ne faut jamais se fier aux apparences : des roseaux, des branches mortes, des galets, des monticules de neige rencontrés au hasard d'une promenade peuvent soudain s'animer ! C'est alors que l'on distingue la présence d'un oiseau dont le plumage s'est tout simplement confondu avec la nature environnante.

A l'approche d'un danger, la plupart des oiseaux s'envolent. Mais d'autres, essentiellement ceux qui se nourrissent à terre et y vivent, tentent de passer inaperçus, se fiant à leur plumage dont les couleurs et les motifs imitent à la perfection la configuration de tel ou tel sol (sous-bois, rivage, marécage).

Bécasse des bois

Une plage dégagée n'est pas à première vue l'endroit idéal pour se dissimuler ; pourtant le grand gravelot est parfaitement invisible au milieu des galets, s'il cesse de bouger.

La bécasse des bois est un oiseau essentiellement nocturne qui vit en forêt. La nuit elle fouille le sol, à la recherche de vers et autres petits animaux, mais le jour elle dort tapie au sol. Si elle est découverte, malgré l'excellent camouflage de son plumage rayé de roux, elle s'envole brusquement, zigzague, et disparaît dans les frondaisons.

_ Bec "sondeur"

En haute montagne ou dans la toundra, la neige transforme radicalement l'aspect du paysage durant l'hiver. Les oiseaux sédentaires (qui n'émigrent pas à cette époque) doivent alors se protéger de leurs prédateurs. Quelques-uns, comme le lagopède alpin, y parviennent très bien en revêtant lors de la mue d'hiver un plumage aussi immaculé que la neige. Les espèces qui vivent dans les régions couvertes de neige toute l'année ont généralement les mêmes facilités pour se cacher. Ainsi la chouette harfang porte-t-elle toujours son plumage blanc.

Lagopède alpin en livrée d'hiver

Lagopède alpin en livrée d'été

En été les plumes du lagopède alpin sont brun châtain et grises, ce qui lui permet de se confondre avec les rochers et la végétation.

Engoulevent d'Europe

L'engoulevent d'Europe est un oiseau insectivore qui se nourrit au crépuscule mais aussi la nuit et à l'aube. Il passe la journée immobile, au sol ou perché, prenant l'apparence d'une branche morte. Il arrive que des promeneurs manquent d'écraser l'un d'eux tant leur camouflage est efficace.

MONTRE-MOI TA PATTE ET JE TE DIRAI QUI TU ES

Les oiseaux ont des pattes de forme et de taille variées qui reflètent l'extrême diversité de leurs modes de vie. Si leurs ancêtres reptiliens possédaient cinq doigts, les oiseaux que nous connaissons n'en possèdent que quatre – plus rarement trois et parfois deux, comme chez l'autruche. Les oiseaux qui ne se posent que très rarement, tels les puffins ou les martinets, ont des pattes si peu adaptées à la marche qu'elle leur est difficile, voire impossible.

Patte de bergeronnette

Patte de grive

Le doigt postérieur assure l'équilibre de l'oiseau posé.

Tous les oiseaux percheurs – c'est-à-dire plus de la moitié des oiseaux – possèdent un seul doigt postérieur qui leur permet de bien agripper les perchoirs.

Doigts antérieurs

Doigts postérieurs

Patte de pic épeiche

Patte de pivert

Les Corvidés possèdent les pattes typiques des oiseaux percheurs, comme tous les autres passereaux.

Corvidé

Griffes crochues

La plupart des pics possèdent quatre doigts opposés deux à deux et armés d'ongles robustes. Peu habituelle chez les oiseaux, cette disposition leur permet de s'accrocher solidement aux troncs des arbres qu'ils gravissent. Les plumes rigides de leur queue assurent leur stabilité, notamment lorsqu'ils tambourinent.

Pour saisir leurs proies, les rapaces ouvrent largement les doigts; les Corvidés, eux, se servent de leur bec.

Patte de rapace aux doigts écartés

Patte de Corvidé aux doigts resserrés

La poigne légendaire de l'aigle lui permet de porter des proies animales de forte taille (marmotte, renard...) mais, en aucun cas, des enfants.

Chouette

Plumes recouvrant le haut de la jambe

Les pattes de la plupart des rapaces sont munies d'ongles longs et crochus, les serres. Ces armes redoutables, parfaites pour la chasse, constituent cependant une gêne pour marcher.

Patte d'épervier d'Europe

Cheville masquée par les plumes

Patte de chouette harfang

Grâce aux plumes qui recouvrent leurs pattes, de nombreux rapaces nocturnes ont un vol silencieux. Ces plumes les protègent du froid. C'est le cas de la chouette harfang, hôtesse de l'Arctique.

Épervier d'Europe

Serres

Plumes isolantes couvrant les doigts

Serres

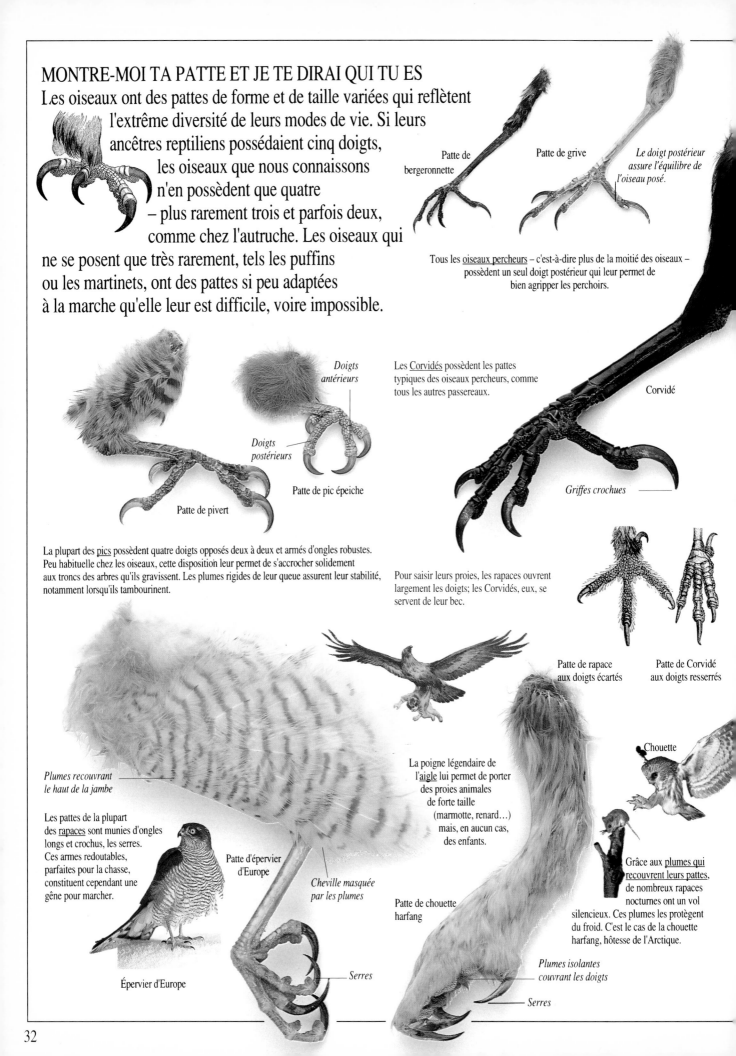

Patte de poule
d'eau

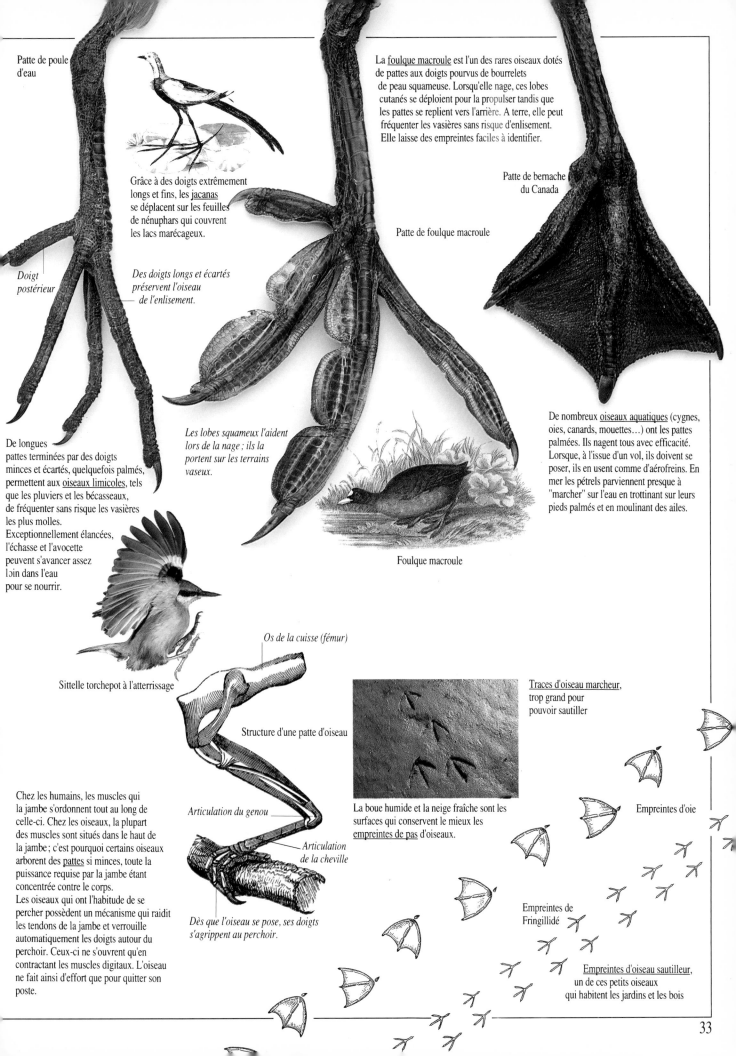

La foulque macroule est l'un des rares oiseaux dotés de pattes aux doigts pourvus de bourrelets de peau squameuse. Lorsqu'elle nage, ces lobes cutanés se déploient pour la propulser tandis que les pattes se replient vers l'arrière. A terre, elle peut fréquenter les vasières sans risque d'enlisement. Elle laisse des empreintes faciles à identifier.

Grâce à des doigts extrêmement longs et fins, les jacanas se déplacent sur les feuilles de nénuphars qui couvrent les lacs marécageux.

Patte de bernache
du Canada

*Doigt
postérieur*

*Des doigts longs et écartés
préservent l'oiseau
de l'enlisement.*

Patte de foulque macroule

*Les lobes squameux l'aident
lors de la nage ; ils la
portent sur les terrains
vaseux.*

De longues pattes terminées par des doigts minces et écartés, quelquefois palmés, permettent aux oiseaux limicoles, tels que les pluviers et les bécasseaux, de fréquenter sans risque les vasières les plus molles. Exceptionnellement élancées, l'échasse et l'avocette peuvent s'avancer assez loin dans l'eau pour se nourrir.

De nombreux oiseaux aquatiques (cygnes, oies, canards, mouettes…) ont les pattes palmées. Ils nagent tous avec efficacité. Lorsque, à l'issue d'un vol, ils doivent se poser, ils en usent comme d'aérofreins. En mer les pétrels parviennent presque à "marcher" sur l'eau en trottinant sur leurs pieds palmés et en moulinant des ailes.

Foulque macroule

Sittelle torchepot à l'atterrissage

Os de la cuisse (fémur)

Chez les humains, les muscles qui la jambe s'ordonnent tout au long de celle-ci. Chez les oiseaux, la plupart des muscles sont situés dans le haut de la jambe ; c'est pourquoi certains oiseaux arborent des pattes si minces, toute la puissance requise par la jambe étant concentrée contre le corps.
Les oiseaux qui ont l'habitude de se percher possèdent un mécanisme qui raidit les tendons de la jambe et verrouille automatiquement les doigts autour du perchoir. Ceux-ci ne s'ouvrent qu'en contractant les muscles digitaux. L'oiseau ne fait ainsi d'effort que pour quitter son poste.

Structure d'une patte d'oiseau

Articulation du genou

*Articulation
de la cheville*

*Dès que l'oiseau se pose, ses doigts
s'agrippent au perchoir.*

Traces d'oiseau marcheur,
trop grand pour
pouvoir sautiller

La boue humide et la neige fraîche sont les surfaces qui conservent le mieux les empreintes de pas d'oiseaux.

Empreintes d'oie

Empreintes de
Fringillidé

Empreintes d'oiseau sautilleur,
un de ces petits oiseaux
qui habitent les jardins et les bois

AU MONDE DES OISEAUX, L'ŒIL ÉCOUTE ET L'OREILLE VOIT

Deux sens sont particulièrement développés chez les oiseaux : la vue et l'ouïe. Un faucon crécerelle, par exemple, peut distinguer les plus infimes détails du sol qu'il survole. Mais il est peu probable qu'il sache apprécier la saveur de la proie dont il s'est emparé. En effet, les oiseaux ne possèdent qu'une centaine de papilles gustatives, alors que l'homme en possède des milliers.

En revanche, ils peuvent percevoir des sons inaudibles pour l'oreille humaine. Ainsi le guacharo de Caripé, espèce vivant en Amérique du Sud, se dirige, tout comme la chauve-souris, grâce à l'écho des sons qu'il émet.

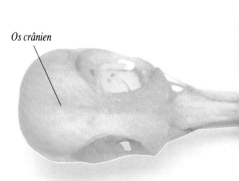

Grand corbeau

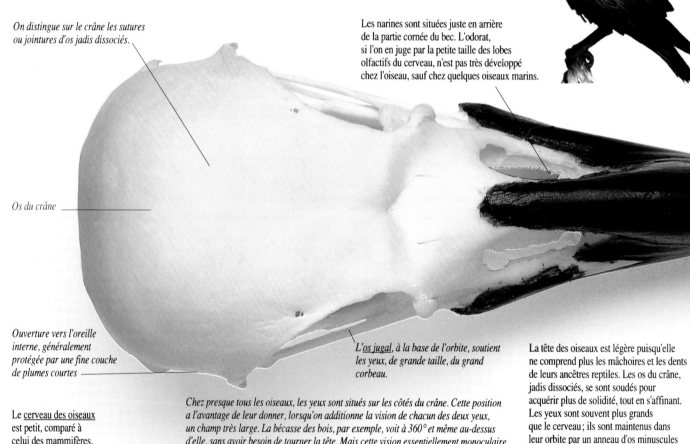

On distingue sur le crâne les sutures ou jointures d'os jadis dissociés.

Les narines sont situées juste en arrière de la partie cornée du bec. L'odorat, si l'on en juge par la petite taille des lobes olfactifs du cerveau, n'est pas très développé chez l'oiseau, sauf chez quelques oiseaux marins.

Os du crâne

Ouverture vers l'oreille interne, généralement protégée par une fine couche de plumes courtes

L'_os jugal_, à la base de l'orbite, soutient les yeux, de grande taille, du grand corbeau.

La tête des oiseaux est légère puisqu'elle ne comprend plus les mâchoires et les dents de leurs ancêtres reptiles. Les os du crâne, jadis dissociés, se sont soudés pour acquérir plus de solidité, tout en s'affinant. Les yeux sont souvent plus grands que le cerveau ; ils sont maintenus dans leur orbite par un anneau d'os minuscules attachés au globe oculaire.

Le cerveau des oiseaux est petit, comparé à celui des mammifères, et la plupart d'entre eux ne réussissent pas à acquérir de nouvelles compétences. Toutefois, un oiseau naît avec un grand nombre de "programmes" qui ne se traduisent pas seulement par des activités simples comme le lissage des plumes, mais aussi par des tours de force sur le plan de l'instinct tels que la migration.

Chez presque tous les oiseaux, les yeux sont situés sur les côtés du crâne. Cette position a l'avantage de leur donner, lorsqu'on additionne la vision de chacun des deux yeux, un champ très large. La bécasse des bois, par exemple, voit à 360° et même au-dessus d'elle, sans avoir besoin de tourner la tête. Mais cette vision essentiellement monoculaire ne permet pas d'apprécier les distances.

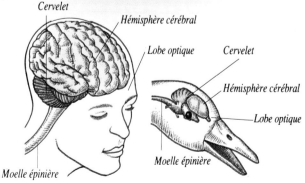

Cervelet

Hémisphère cérébral

Lobe optique

Cervelet

Hémisphère cérébral

Lobe optique

Moelle épinière

Moelle épinière

Un énorme hémisphère cérébral permet à l'homme d'apprendre avec rapidité.

Une grande partie du cerveau de l'oiseau est consacrée aux informations visuelles.

Os crânien

Crâne de bécassine des marais

Les yeux des Strigidés, situés presque complètement vers l'avant, leur ouvrent un large <u>champ de vision binoculaire</u> qui leur permet d'évaluer les distances avec la précision nécessaire à la capture des proies rapides, tels les mammifères et les insectes. C'est le cas de presque tous les oiseaux chasseurs.

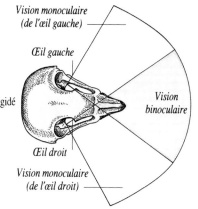

Vision monoculaire
(de l'œil gauche)

Œil gauche

Strigidé

Vision binoculaire

Œil droit

Vision monoculaire
(de l'œil droit)

Les oiseaux ne peuvent pas faire pivoter leurs globes oculaires aussi loin que la plupart des autres animaux. Le <u>mouvement oculaire</u> d'un Strigidé, par exemple, parcourt moins de 2°, contre 100° pour l'homme. Les oiseaux compensent cette insuffisance par des cous très flexibles qui n'ont aucune difficulté à se tourner vers l'arrière.

Bécasse

Œil gauche

Vision monoculaire
(de l'œil gauche)

Angle mort

Œil droit

Vision monoculaire
(de l'œil droit)

Vision binoculaire avant

Le champ de vision binoculaire arrière permet à la <u>bécasse des bois</u> de voir arriver ses prédateurs par derrière.

Certains Strigidés <u>peuvent chasser dans l'obscurité</u> complète grâce à l'acuité de leur ouïe.

Cavité auditive supérieure

Cavité auditive inférieure

Les oreilles asymétriques des Strigidés ne sont généralement pas visibles car elles sont masquées par les plumes.

Les <u>Strigidés</u> sont des oiseaux qui chassent de nuit, c'est-à-dire lorsque le son et la lumière sont au plus bas. Ils ont donc besoin d'une vue très perçante et d'une ouïe extrêmement fine. Ils sont dépourvus d'oreilles externes (certaines espèces ont des touffes de plumes qu'on prend à tort pour des oreilles), mais ce sont leurs larges faces qui perçoivent les ondes sonores, comme le ferait une oreille externe, et qui les dirigent vers la caisse du tympan à l'intérieur du crâne. Les oreilles gauche et droite des Strigidés sont souvent situées à des hauteurs différentes sur le crâne. Chacune d'entre elles perçoit les sons avec un très léger décalage dans le temps, d'où une audition "binaurale" de qualité qui leur permet de repérer leur proie.

Bec recourbé

Os crâniens

Oreille

Orbite dirigée vers le haut, d'où la vision binoculaire

Crâne de Strigidé

Comme les autres animaux, les oiseaux sentent grâce à des <u>récepteurs sensoriels</u> reliés aux nerfs. Ces récepteurs sont disséminés sur tout leur corps. Chez les oiseaux à long bec, ils se trouvent aussi à l'extrémité de celui-ci. Quand un échassier fouille de son bec la vase, il sent ce qu'il y a sous la surface.

Bécassine des marais

Les mandibules supérieure et inférieure du <u>bec</u>, très longues, permettent à la bécassine des marais d'atteindre la nourriture enfoncée dans la vase.

Alors même que son bec est profondément enfoncé dans la vase, et que les mandibules restent accolées, la bécassine peut n'entrouvrir que l'extrémité de son bec pour chercher sa nourriture.

Les engoulevents ont des vibrisses de chaque côté du bec. Ce sont des plumes extrêmement fines, sans barbes, vraisemblablement utilisées pour rabattre dans le bec les insectes volants. Bien que les oiseaux soient dépourvus de poils sensoriels comme les moustaches, il est possible que l'engoulevent utilise ces "plumes-poils" pour sentir sa nourriture.

PIC, PINCE, CROC ET TARIÈRE : DES BECS À TOUT FAIRE

La plupart des oiseaux, à l'exception des rapaces et des perroquets, ne peuvent saisir leur nourriture qu'avec leur bec, leurs membres antérieurs étant totalement adaptés au vol. Selon le mode de vie de l'oiseau, le bec revêt une forme particulière. Le huia de Nouvelle-Zélande, espèce malheureusement éteinte aujourd'hui, en était un exemple frappant : le bec du mâle était court et droit pour fouiller le sol, alors que celui de la femelle était long et courbe pour attraper les insectes en vol.

Bec conique Pinson des arbres

C'est à sa base qu'un <u>bec d'oiseau</u> a le plus de force. Celui des Fringillidés possède dans la mandibule supérieure un sillon sur lequel les graines à coque dure sont maintenues par la langue puis fendues par le bord coupant de la mandibule inférieure.

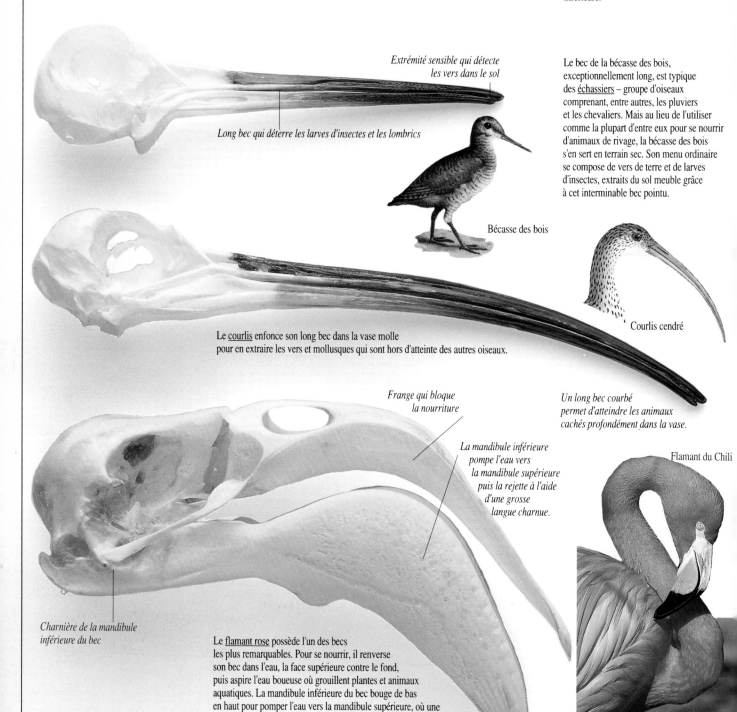

Extrémité sensible qui détecte les vers dans le sol

Long bec qui déterre les larves d'insectes et les lombrics

Bécasse des bois

Le bec de la bécasse des bois, exceptionnellement long, est typique des <u>échassiers</u> – groupe d'oiseaux comprenant, entre autres, les pluviers et les chevaliers. Mais au lieu de l'utiliser comme la plupart d'entre eux pour se nourrir d'animaux de rivage, la bécasse des bois s'en sert en terrain sec. Son menu ordinaire se compose de vers de terre et de larves d'insectes, extraits du sol meuble grâce à cet interminable bec pointu.

Courlis cendré

Le <u>courlis</u> enfonce son long bec dans la vase molle pour en extraire les vers et mollusques qui sont hors d'atteinte des autres oiseaux.

Un long bec courbé permet d'atteindre les animaux cachés profondément dans la vase.

Frange qui bloque la nourriture

La mandibule inférieure pompe l'eau vers la mandibule supérieure puis la rejette à l'aide d'une grosse langue charnue.

Flamant du Chili

Charnière de la mandibule inférieure du bec

Le <u>flamant rose</u> possède l'un des becs les plus remarquables. Pour se nourrir, il renverse son bec dans l'eau, la face supérieure contre le fond, puis aspire l'eau boueuse où grouillent plantes et animaux aquatiques. La mandibule inférieure du bec bouge de bas en haut pour pomper l'eau vers la mandibule supérieure, où une frange de dentelures retient la nourriture.

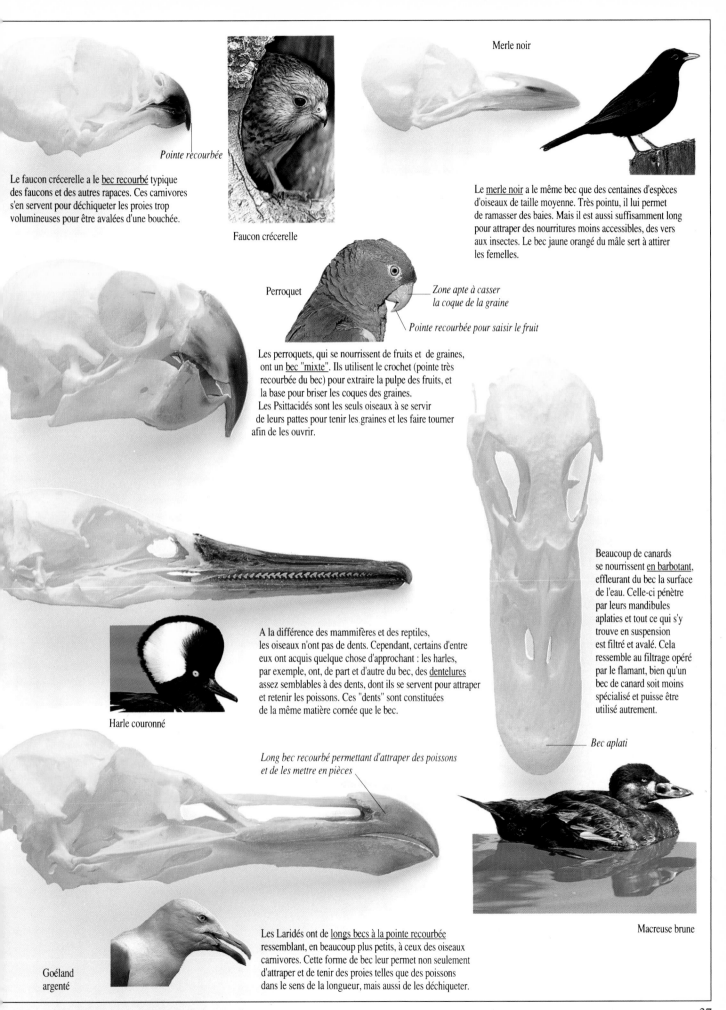

Pointe recourbée

Le faucon crécerelle a le bec recourbé typique des faucons et des autres rapaces. Ces carnivores s'en servent pour déchiqueter les proies trop volumineuses pour être avalées d'une bouchée.

Faucon crécerelle

Merle noir

Le merle noir a le même bec que des centaines d'espèces d'oiseaux de taille moyenne. Très pointu, il lui permet de ramasser des baies. Mais il est aussi suffisamment long pour attraper des nourritures moins accessibles, des vers aux insectes. Le bec jaune orangé du mâle sert à attirer les femelles.

Perroquet

Zone apte à casser la coque de la graine

Pointe recourbée pour saisir le fruit

Les perroquets, qui se nourrissent de fruits et de graines, ont un bec "mixte". Ils utilisent le crochet (pointe très recourbée du bec) pour extraire la pulpe des fruits, et la base pour briser les coques des graines.
Les Psittacidés sont les seuls oiseaux à se servir de leurs pattes pour tenir les graines et les faire tourner afin de les ouvrir.

A la différence des mammifères et des reptiles, les oiseaux n'ont pas de dents. Cependant, certains d'entre eux ont acquis quelque chose d'approchant : les harles, par exemple, ont, de part et d'autre du bec, des dentelures assez semblables à des dents, dont ils se servent pour attraper et retenir les poissons. Ces "dents" sont constituées de la même matière cornée que le bec.

Harle couronné

Beaucoup de canards se nourrissent en barbotant, effleurant du bec la surface de l'eau. Celle-ci pénètre par leurs mandibules aplaties et tout ce qui s'y trouve en suspension est filtré et avalé. Cela ressemble au filtrage opéré par le flamant, bien qu'un bec de canard soit moins spécialisé et puisse être utilisé autrement.

Bec aplati

Long bec recourbé permettant d'attraper des poissons et de les mettre en pièces

Macreuse brune

Goéland argenté

Les Laridés ont de longs becs à la pointe recourbée ressemblant, en beaucoup plus petits, à ceux des oiseaux carnivores. Cette forme de bec leur permet non seulement d'attraper et de tenir des proies telles que des poissons dans le sens de la longueur, mais aussi de les déchiqueter.

MANGEURS DE GRAINS, DE BAIES, D'INVERTÉBRÉS

L'oiseau sauvage le plus répandu à travers le monde, le travailleur à bec rouge, est granivore. Ils sont plus d'une centaine de milliards en Afrique : ils envahissent les terres cultivées par bandes de plusieurs millions. Les oiseaux de ce type peuvent survivre en grand nombre car ils trouvent à profusion les aliments dont ils ont besoin. Les semences, l'herbe, le nectar des fleurs, les insectes, les vers et autres petits animaux constituent pour la plupart des oiseaux du monde une réserve abondante de nourriture.

Grive

Crâne d'oie

Les <u>phytophages et les granivores</u> doivent broyer la nourriture pour pouvoir la digérer : ils compensent leur absence de dents par un bec puissant et un gésier, "chambre de broyage" musculeuse de leur estomac (cf. p. 8).

Crâne de Fringillidé

Graines à coque dure

Les <u>Fringillidés</u>, qui comptent plus de 130 espèces, ont des becs courts et pointus capables d'ouvrir les graines et les noix. Le gros-bec peut ainsi casser un noyau nécessitant une force allant jusqu'à 72 kg.

Fragments végétaux

Graines cultivées

Crâne de pigeon

Les <u>pigeons</u> et les <u>colombes</u> mangeaient à l'origine les feuilles et les graines de plantes sauvages ; actuellement, ils se nourrissent aussi de plantes cultivées et de leurs graines. Pour boire, ils se servent de leur bec pointu comme d'une paille – particularité unique chez les oiseaux.

Les <u>oies</u> comptent parmi les rares espèces d'oiseaux qui peuvent se nourrir exclusivement d'herbe. Mais elles la digèrent pauvrement, le transit intestinal ne durant que deux heures. Comme elles retirent peu d'éléments nutritifs de ce régime alimentaire, il leur faut en absorber beaucoup. Aussi sont-elles presque continuellement en train de paître.

Crâne de grand tétras

Puissant bec recourbé qui arrache les bourgeons et les baies des arbres et broie les graines

Large bec apte à arracher l'herbe

Les différentes espèces de <u>faisans</u> et de <u>tétras</u> mangent n'importe quelle sorte de plantes, mais préfèrent les graines. En hiver, le grand tétras se nourrit d'aiguilles de conifères, ce que font très peu d'animaux.

Herbes et plantes aquatiques dont se nourrit l'oie

Graines

Aiguilles de conifères

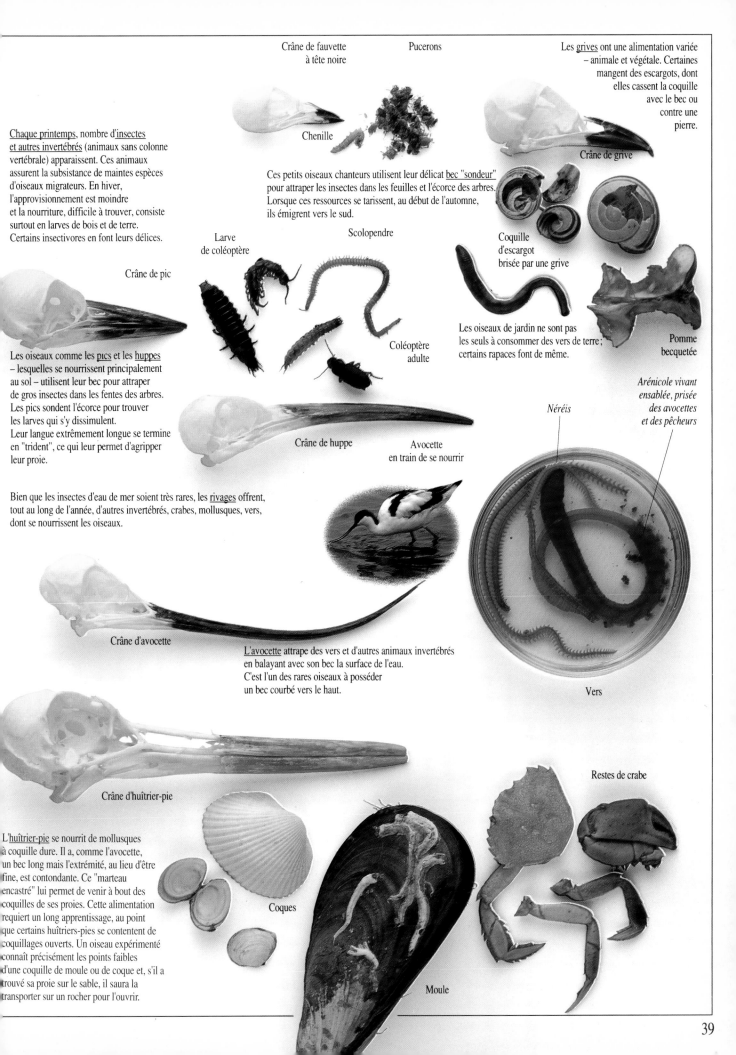

Crâne de fauvette
à tête noire

Pucerons

Les grives ont une alimentation variée – animale et végétale. Certaines mangent des escargots, dont elles cassent la coquille avec le bec ou contre une pierre.

Chenille

Chaque printemps, nombre d'insectes et autres invertébrés (animaux sans colonne vertébrale) apparaissent. Ces animaux assurent la subsistance de maintes espèces d'oiseaux migrateurs. En hiver, l'approvisionnement est moindre et la nourriture, difficile à trouver, consiste surtout en larves de bois et de terre. Certains insectivores en font leurs délices.

Ces petits oiseaux chanteurs utilisent leur délicat bec "sondeur" pour attraper les insectes dans les feuilles et l'écorce des arbres. Lorsque ces ressources se tarissent, au début de l'automne, ils émigrent vers le sud.

Crâne de grive

Larve
de coléoptère

Scolopendre

Coquille
d'escargot
brisée par une grive

Crâne de pic

Les oiseaux comme les pics et les huppes – lesquelles se nourrissent principalement au sol – utilisent leur bec pour attraper de gros insectes dans les fentes des arbres. Les pics sondent l'écorce pour trouver les larves qui s'y dissimulent. Leur langue extrêmement longue se termine en "trident", ce qui leur permet d'agripper leur proie.

Coléoptère
adulte

Les oiseaux de jardin ne sont pas les seuls à consommer des vers de terre ; certains rapaces font de même.

Pomme
becquetée

Arénicole vivant
ensablée, prisée
des avocettes
et des pêcheurs

Néréis

Bien que les insectes d'eau de mer soient très rares, les rivages offrent, tout au long de l'année, d'autres invertébrés, crabes, mollusques, vers, dont se nourrissent les oiseaux.

Crâne de huppe

Avocette
en train de se nourrir

Crâne d'avocette

L'avocette attrape des vers et d'autres animaux invertébrés en balayant avec son bec la surface de l'eau. C'est l'un des rares oiseaux à posséder un bec courbé vers le haut.

Vers

Restes de crabe

Crâne d'huîtrier-pie

L'huîtrier-pie se nourrit de mollusques à coquille dure. Il a, comme l'avocette, un bec long mais l'extrémité, au lieu d'être fine, est contondante. Ce "marteau encastré" lui permet de venir à bout des coquilles de ses proies. Cette alimentation requiert un long apprentissage, au point que certains huîtriers-pies se contentent de coquillages ouverts. Un oiseau expérimenté connaît précisément les points faibles d'une coquille de moule ou de coque et, s'il a trouvé sa proie sur le sable, il saura la transporter sur un rocher pour l'ouvrir.

Coques

Moule

CHASSEURS, PÊCHEURS EN TOUS GENRES

Le vol permet aux oiseaux de franchir de grandes distances pour trouver leur nourriture. Il s'agit là, pour les oiseaux prédateurs, d'un avantage considérable : que ce soit sur terre ou en mer, peu d'animaux peuvent leur échapper. Le vol fait aussi des oiseaux des consommateurs éclectiques. Un animal mort, un nid sans protection, des champs cultivés sont vite repérés par des oiseaux de passage et convertis en festin.

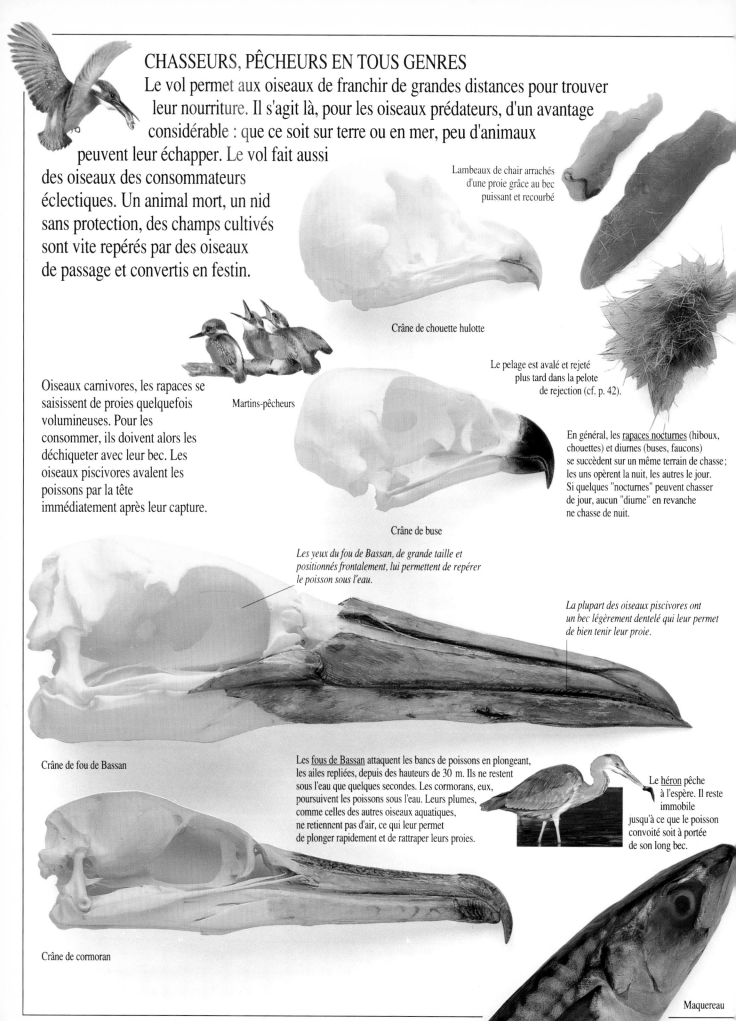

Lambeaux de chair arrachés d'une proie grâce au bec puissant et recourbé

Crâne de chouette hulotte

Martins-pêcheurs

Oiseaux carnivores, les rapaces se saisissent de proies quelquefois volumineuses. Pour les consommer, ils doivent alors les déchiqueter avec leur bec. Les oiseaux piscivores avalent les poissons par la tête immédiatement après leur capture.

Le pelage est avalé et rejeté plus tard dans la pelote de rejection (cf. p. 42).

En général, les rapaces nocturnes (hiboux, chouettes) et diurnes (buses, faucons) se succèdent sur un même terrain de chasse ; les uns opèrent la nuit, les autres le jour. Si quelques "nocturnes" peuvent chasser de jour, aucun "diurne" en revanche ne chasse de nuit.

Crâne de buse

Les yeux du fou de Bassan, de grande taille et positionnés frontalement, lui permettent de repérer le poisson sous l'eau.

La plupart des oiseaux piscivores ont un bec légèrement dentelé qui leur permet de bien tenir leur proie.

Crâne de fou de Bassan

Les fous de Bassan attaquent les bancs de poissons en plongeant, les ailes repliées, depuis des hauteurs de 30 m. Ils ne restent sous l'eau que quelques secondes. Les cormorans, eux, poursuivent les poissons sous l'eau. Leurs plumes, comme celles des autres oiseaux aquatiques, ne retiennent pas d'air, ce qui leur permet de plonger rapidement et de rattraper leurs proies.

Le héron pêche à l'espère. Il reste immobile jusqu'à ce que le poisson convoité soit à portée de son long bec.

Crâne de cormoran

Maquereau

Régime mixte

De nombreuses espèces telles que les mouettes, les corbeaux… se nourrissent en groupe. Cette méthode permet de prévenir plus sûrement l'arrivée d'éventuels prédateurs.

Les autruches sont connues pour fouiller les ordures. On sait qu'elles avalent <u>même du métal</u>, avec parfois de funestes résultats.

Crâne de geai

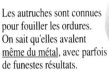

Crâne de corneille

Crâne de pie

Les différentes espèces de <u>Corvidés</u> sont parmi les omnivores les plus astucieux de l'ensemble des oiseaux. Rares sont les endroits où l'on n'en rencontre pas. Ceci tient en partie à leur nature curieuse, renforcée par leur audace et leur puissant bec "tout-terrain". Insectes, vers, oiseaux et petits mammifères morts ou vifs, graines, baies… et même ordures font partie de leur menu, et tout ce qui n'est pas mangeable peut éventuellement être emporté en vue d'une inspection ultérieure plus poussée.

Les Corvidés mangent toutes sortes de restes d'animaux.

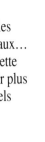

Graines des champs et des cours de ferme

Coléoptère terrestre

Scolopendre

Les invertébrés sont en général avalés intégralement et partiellement régurgités dans les pelotes (cf. p. 42).

Œuf brisé après avoir été volé dans un nid

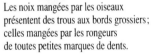

Les noix mangées par les oiseaux présentent des trous aux bords grossiers ; celles mangées par les rongeurs de toutes petites marques de dents.

Ver de terre

Crâne de foulque macroule

La <u>foulque macroule</u> vit sur les plans d'eau de nos contrées. Elle mange tout ce qu'elle peut trouver en eau douce : herbes aquatiques, escargots, têtards et poissons, mais aussi oisillons.

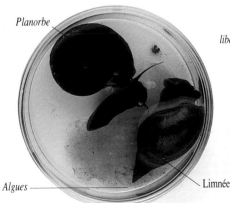

Planorbe

Algues

Limnée

Mollusques d'eau douce et stagnante

Têtard

Larve de libellule

Lentilles d'eau

Animaux et plantes mangés par la foulque macroule dans les étangs

LES PELOTES DE REJECTION : DE PRÉCIEUX INDICES

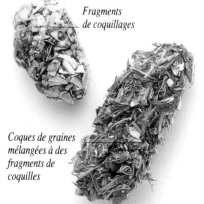

Les oiseaux prédateurs comme les rapaces nocturnes se nourrissent de petits mammifères et de petits oiseaux mais, dépourvus de dents, ils ne peuvent mâcher leur nourriture. C'est pourquoi ils éventrent leur proie de leurs serres ou l'ingurgitent tout entière, avalant alors de grandes quantités de fourrure, de plumes et d'os qu'ils ne peuvent digérer. Aussi régurgitent-ils, une ou deux fois par jour, ces éléments inutilisables, amalgamés en pelotes de rejection. En observant la forme d'une pelote on peut identifier l'espèce d'oiseau dont elle provient, en examinant son contenu on peut déterminer de quoi il se nourrit.

Le hibou brachyote chasse de jour dans les herbages et les marais, attrapant des campagnols et parfois des oisillons. Ses pelotes sont cylindriques, arrondies aux extrémités. Cette espèce ne recrache pas ses pelotes d'un perchoir, elle les disperse sous des touffes d'herbe.

Bouts arrondis

Os d'un membre de rongeur

Extrémités aplaties

Les pelotes de la chouette effraie, lisses et presque noires, sont très faciles à reconnaître. Elles s'accumulent souvent en petits tas sous ses perchoirs dans des granges ou de vieux bâtiments.

Pelote de rejection récente, encore à l'état compact

Pelote plus ancienne, en voie de désagrégation

Croûte lisse et sombre

Os faisant saillie, typique des pelotes de chouette hulotte

Terre et poils

Extrémités pointues

Élytre de coléoptère

Les pelotes des chouettes hulottes sont les seules qu'on trouve fréquemment dans les parcs de banlieue ainsi qu'à la campagne. Ces oiseaux se nourrissent de petits rongeurs, d'oiseaux, ainsi que d'animaux beaucoup plus petits. Leurs pelotes sont lisses avec, parfois, des extrémités pointues. Pour peu qu'elles aient séjourné à terre, elles se désagrègent rapidement, révélant un amas d'os saillants mêlés de poils.

Toutes ces pelotes provenant de chouettes chevêches montrent combien leur apparence varie en fonction de l'alimentation de l'oiseau. Les plus petites contiennent des poils et de la terre – celle-ci provenant d'un repas de lombrics. Les plus grandes contiennent ces éléments ainsi que des débris de chitine (pattes et élytres de coléoptères).

Fragments de coquillages

Élytres de coléoptère mélangés à des débris végétaux

Patte de coléoptère

Graines rejetées après digestion des baies

Os d'un membre de rongeur

Coques de graines mélangées à des fragments de coquilles

Papier d'aluminium

Poils de mammifère

Le courlis et bien d'autres échassiers se nourrissent d'animaux à coquille dure comme les crabes. Leurs pelotes contiennent des fragments de ces coquilles, mélangés parfois à des cosses de graines.

Les corbeaux, comme tous les Corvidés, sont omnivores. Leurs pelotes contiennent souvent des restes d'insectes et des tiges de plantes.

Les grives et les merles régurgitent des pelotes contenant des graines. Ce spécimen contient également un petit morceau de papier d'emballage métallique.

Les rapaces comme le faucon crécerelle et le faucon pèlerin rejettent des pelotes contenant des restes d'oiseaux, de mammifères ou d'insectes.

Intérieur d'une pelote de rapace nocturne. Pour bien reconnaître le régime des rapaces nocturnes, il faut examiner la composition de leurs pelotes. En voici deux de chouette hulotte, soigneusement ouvertes. La première révèle que le repas consistait exclusivement en trois campagnols attrapés au cours de la nuit ; la deuxième raconte une histoire différente et beaucoup plus surprenante.

Quand la pelote est sèche, les poils et les os sont emmêlés.

Poils mélangés à des glaires formant un enduit qui agrège la pelote

On identifie les rongeurs par la forme de leurs mâchoires et de leurs dents. Celles-ci proviennent d'un campagnol.

La tête du fémur s'insère dans cette cavité.

Trois crânes de campagnols, dont deux entiers

Dents / molaires

Mâchoire entière

Incisives

Les maxillaires se brisent souvent dans l'estomac de la chouette et se désolidarisent généralement du crâne.

Os pelviens et cavités d'articulation avec le fémur

Os de membres antérieurs

Omoplates s'attachant aux membres antérieurs

Os de la patte arrière. Certains sont encore appariés comme dans la réalité.

Côtes courbes aux bords aplatis

Vertèbres – petits os qui constituent la colonne vertébrale

Bien qu'on imagine souvent que les rapaces nocturnes se nourrissent exclusivement de rongeurs, ces os d'étourneau sansonnet montrent bien que les oiseaux font partie du régime alimentaire de la chouette hulotte. On notera que, curieusement, celle-ci a réussi à avaler puis à régurgiter le gros crâne de l'étourneau sans le briser. Les plumes, de même que la fourrure et les griffes, étant constituées de kératine, protéine non digestible, la chouette hulotte s'en débarrasse, ainsi que des os, dans ses pelotes.

Crâne d'étourneau sansonnet

Mandibule inférieure du bec

Vertèbres

Fourchette (partie de l'épaule)

Patte possédant encore ses griffes entières et intactes

Pied

Plumes du corps de l'oiseau

Rémiges – les tuyaux de certaines se sont cassés en deux

Os des pattes et des ailes

Griffe

Côtes

Bergeronnette grise

LA CONSTRUCTION DU NID

Elle s'effectue en deux étapes : la collecte des matériaux nécessaires et leur assemblage en nid. Le temps passé à la collecte est plus ou moins long suivant que ces éléments se trouvent ou non à proximité : la rousserolle effarvatte n'a guère à se déplacer pour trouver des roseaux secs mais l'hirondelle doit aller repérer les mares qui lui fourniront la boue fine dont elle a besoin. Les oiseaux accomplissent toute une série de mouvements spécifiques pour bâtir leur nid. Après avoir choisi un emplacement, ils apportent des matériaux qu'ils disposent au fur et à mesure. Pour donner forme à leur construction, ils s'installent fréquemment en son centre et tournent sur eux-mêmes en repoussant de la poitrine ce qui entrave leur mouvement. Ce mouvement circulaire, qui donne sa forme à l'intérieur du nid, est commun à tous les oiseaux. En revanche, les échassiers tournent en piétinant le fond du nid tout en tirant vers le haut des brindilles qui constitueront les parois.

Les matériaux destinés au nid ont deux fonctions prépondérantes : la construction et l'isolation. Les oiseaux qui habitent les bois et les haies se servent de brindilles pour constituer la structure extérieure de leur nid, et fabriquent un garnissage isolant à base de plumes, d'épis ou de fourrure animale. Certaines hirondelles, en particulier l'hirondelle de fenêtre, confectionnent leur nid en boue avec leur salive, tandis que le martinet noir, insectivore lui aussi, collecte en plein ciel ses matériaux : des fibres et des plumes.

La boue mélangée à de la salive forme une pâte collante.

Épis de graminées utilisés comme capitonnage isolant de l'intérieur du nid

Les feuilles et aiguilles de conifères servent à matelasser l'intérieur de nombreux nids en coupe.

Petit bois et brindilles constituent le matériau extérieur principal des nids de grande taille.

Tout ce qui peut être soulevé et emporté par un oiseau peut finir dans son nid. On a déjà trouvé des pigeons nichant sur un amoncellement de clous, et des foulques macroules sur des sacs en plastique. Quant aux cigognes, elles incorporent parfois de vieux chiffons ou autres rebuts à leurs nids massifs.

On trouve des bouts de ficelle dans de nombreux nids.

Les feuilles de papier d'aluminium sont très appréciées des corbeaux et des pies.

Corneille mantelée

Les ficelles de sacs plastique sont constamment utilisées par les oiseaux qui nichent à proximité des fermes.

Beaucoup d'oiseaux citadins font usage de papiers et de tissus.

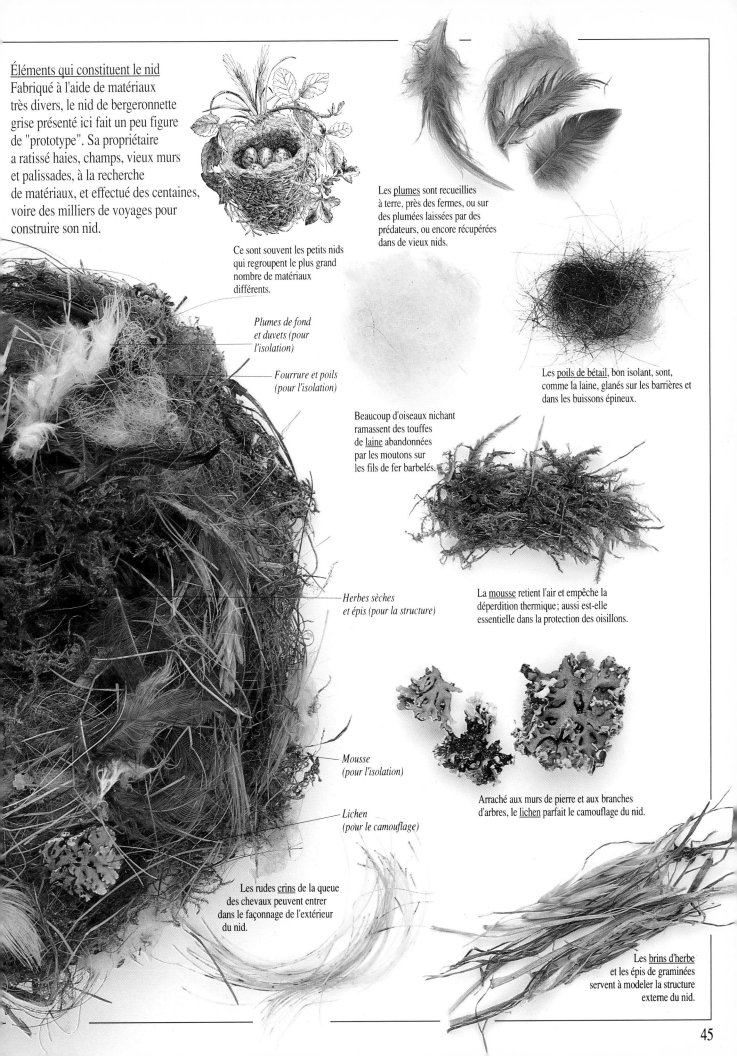

Éléments qui constituent le nid
Fabriqué à l'aide de matériaux très divers, le nid de bergeronnette grise présenté ici fait un peu figure de "prototype". Sa propriétaire a ratissé haies, champs, vieux murs et palissades, à la recherche de matériaux, et effectué des centaines, voire des milliers de voyages pour construire son nid.

Ce sont souvent les petits nids qui regroupent le plus grand nombre de matériaux différents.

Plumes de fond et duvets (pour l'isolation)

Fourrure et poils (pour l'isolation)

Herbes sèches et épis (pour la structure)

Mousse (pour l'isolation)

Lichen (pour le camouflage)

Les <u>plumes</u> sont recueillies à terre, près des fermes, ou sur des plumées laissées par des prédateurs, ou encore récupérées dans de vieux nids.

Les <u>poils de bétail</u>, bon isolant, sont, comme la laine, glanés sur les barrières et dans les buissons épineux.

Beaucoup d'oiseaux nichant ramassent des touffes de <u>laine</u> abandonnées par les moutons sur les fils de fer barbelés.

La <u>mousse</u> retient l'air et empêche la déperdition thermique ; aussi est-elle essentielle dans la protection des oisillons.

Arraché aux murs de pierre et aux branches d'arbres, le <u>lichen</u> parfait le camouflage du nid.

Les rudes <u>crins</u> de la queue des chevaux peuvent entrer dans le façonnage de l'extérieur du nid.

Les <u>brins d'herbe</u> et les épis de graminées servent à modeler la structure externe du nid.

UN GRAND CLASSIQUE : LE NID EN FORME DE COUPE

Les nids ont des formes extrêmement variées. Ce peuvent être de minuscules coupelles de matériaux agglomérés avec de la salive et collés aux parois des grottes, ou de longs tunnels creusés sur plusieurs mètres dans le sol. Chez certains aigles, ce sont d'énormes entassements de branchages dont le poids est supérieur à celui d'une limousine. Mais les nids les plus courants sont les nids en forme de coupe, construits par les oiseaux qui peuplent les forêts, les jardins et les régions cultivées. Malgré leur apparente similitude, ils présentent d'infimes détails qui permettent d'identifier leurs propriétaires

Corbeaux freux nichant sur une girouette

Pinson des arbres au nid

La coupe de mousse et de lichen est la partie la plus importante du nid.

Mousse sèche

Plumes provenant d'autres oiseaux et destinées à l'isolation du nid

Le garnissage de poils et de plumes isole les œufs et, plus tard, protégera les oisillons.

Rouge-queue à front blanc

Pour faire son nid, le pinson des arbres commence par enrouler des fils de toile d'araignée autour d'un groupe de branches. S'étant assuré de leur solidité, il façonne la coupe avec de la mousse, des lichens et des brindilles, qu'il rembourre de plumes et de poils. La collecte de tous ces matériaux lui demande beaucoup de travail ; c'est pourquoi, s'il vient à trouver le site de son nid trop exposé, il réutilise la bourre du premier pour en construire un nouveau.

Les plumes sont une composante essentielle de bien des nids. Les oiseaux chanteurs comme le rouge-queue, dont le nid est montré ici, recueillent des plumes perdues par d'autres oiseaux, tandis que les oiseaux aquatiques et les échassiers, plus autarciques, utilisent les leurs. Certains petits oiseaux, comme les moineaux, améliorent leur collecte en piquant des plumes sur le dos d'oiseaux plus grands ou en pillant le nid d'autres espèces.

Grive musicienne nourrissant ses petits

Garnissage de boue

Beaucoup de nids en coupe sont faits à base de boue. Dans la plupart des cas, elle sert d'avant-dernière couche, juste avant le garnissage de plumes, de poils ou d'herbes. Quelquefois, elle est utilisée dans le nid même. La grive musicienne façonne une solide coupe à l'aide de ramilles et d'herbes, puis enduit l'intérieur d'une composition semi-liquide constituée de boue, mais aussi de salive et de fientes qui résiste aux intempéries longtemps encore après son abandon.

Coupe extérieure

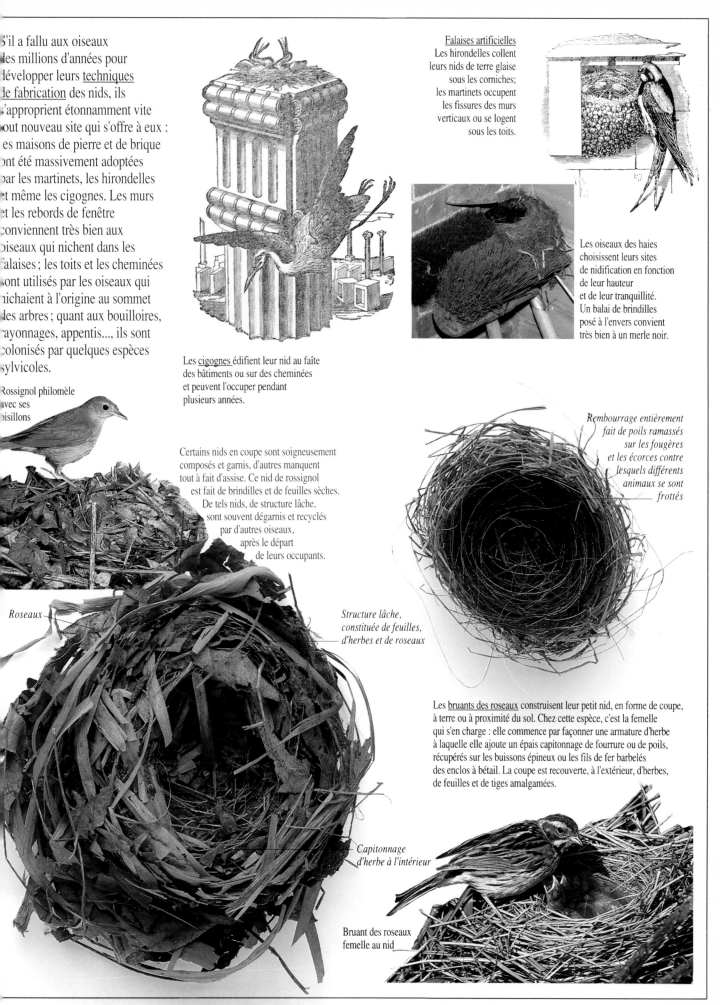

S'il a fallu aux oiseaux des millions d'années pour développer leurs <u>techniques de fabrication</u> des nids, ils s'approprient étonnamment vite tout nouveau site qui s'offre à eux : les maisons de pierre et de brique ont été massivement adoptées par les martinets, les hirondelles et même les cigognes. Les murs et les rebords de fenêtre conviennent très bien aux oiseaux qui nichent dans les falaises ; les toits et les cheminées sont utilisés par les oiseaux qui nichaient à l'origine au sommet des arbres ; quant aux bouilloires, rayonnages, appentis..., ils sont colonisés par quelques espèces sylvicoles.

Rossignol philomèle avec ses oisillons

Falaises artificielles
Les hirondelles collent leurs nids de terre glaise sous les corniches; les martinets occupent les fissures des murs verticaux ou se logent sous les toits.

Les <u>cigognes</u> édifient leur nid au faîte des bâtiments ou sur des cheminées et peuvent l'occuper pendant plusieurs années.

Les oiseaux des haies choisissent leurs sites de nidification en fonction de leur hauteur et de leur tranquillité. Un balai de brindilles posé à l'envers convient très bien à un merle noir.

Certains nids en coupe sont soigneusement composés et garnis, d'autres manquent tout à fait d'assise. Ce nid de rossignol est fait de brindilles et de feuilles sèches. De tels nids, de structure lâche, sont souvent dégarnis et recyclés par d'autres oiseaux, après le départ de leurs occupants.

Rembourrage entièrement fait de poils ramassés sur les fougères et les écorces contre lesquels différents animaux se sont frottés

Roseaux

Structure lâche, constituée de feuilles, d'herbes et de roseaux

Les <u>bruants des roseaux</u> construisent leur petit nid, en forme de coupe, à terre ou à proximité du sol. Chez cette espèce, c'est la femelle qui s'en charge : elle commence par façonner une armature d'herbe à laquelle elle ajoute un épais capitonnage de fourrure ou de poils, récupérés sur les buissons épineux ou les fils de fer barbelés des enclos à bétail. La coupe est recouverte, à l'extérieur, d'herbes, de feuilles et de tiges amalgamées.

Capitonnage d'herbe à l'intérieur

Bruant des roseaux femelle au nid

LES NIDS INSOLITES

Les nids des premiers oiseaux n'étaient probablement que de simples dépressions creusées dans le sol. Si certains oiseaux actuels ont maintenu cette pratique, d'autres ont élevé la construction du nid au niveau d'un art en élaborant des structures d'une complexité inouïe.

Il est toutefois surprenant de constater qu'aucun de ces architectes ailés ne conçoit à l'avance ce qu'il va faire, car la construction du nid relève entièrement de l'instinct. Sans doute l'oiseau améliore-t-il sa technique à force de pratique mais, au départ, il n'a besoin d'aucun apprentissage. Il est en outre incapable de s'écarter de son modèle.

Chambre du nid

Ce nid extraordinaire en forme de trompette est celui d'un tisserin d'Afrique occidentale. Le tisserin est unique par sa capacité à faire des nœuds à l'aide de son bec et de ses pattes. La forme remarquable de son nid le protège des visites des serpents arboricoles.

Le tisserin au travail il commence par fabriquer un anneau noué à une fourche de brindilles (1), puis l'élargit (2) jusqu'à constituer une chambre sphérique (3). Il ménage ensuite une entrée en forme d'entonnoir en bas de cette boule.

1
2
3

Branchette soutenant le nid

Ficelle

Poils de bétail

Le loriot de Baltimore s'installe volontiers, pendant l'été, à proximité des fermes américaines. Comme tous les oiseaux qui nichent dans l'entourage des hommes, il s'intéresse aux matériaux d'origine humaine qui peuvent l'aider à construire son nid. Celui-ci, en forme de sac, est fait de poils de bétail et de bouts de ficelle entrelacés. Le loriot a tout d'abord enroulé très adroitement un peu de ficelle autour d'une branchette pour soutenir son nid.

Le loriot de Baltimore, perché au-dessus de son nid très caractéristique en forme de berceau

Herbes tissées en long pour former le tube

Entrée en forme d'entonnoir, peu accessible aux serpents

Le tisserin gendarme mâle effectue l'ensemble du travail extérieur de son nid en forme de cloche. L'armature externe terminée, il volette tout autour pour attirer une femelle qui va l'inspecter. Une fois que celle-ci a approuvé sa construction, elle emménage et parachève le capitonnage intérieur. A peine commence-t-elle à couver que le mâle entreprend déjà un nouveau nid. Il ne s'en va toutefois pas très loin : comme la plupart des oiseaux tisserands, il est très grégaire et souvent des centaines d'individus font leur nid sur le même arbre.

Branche d'arbrisseau épineux

Nid fait de fleurs de roseaux, de brindilles et de plumes

Rousserolle effarvatte avec ses petits

Chambre du nid

Roseaux

Entrée

Brins d'herbe

En réalité, les tisserins ne partagent pas une seule et même entrée dans leurs nids en étages comme le suggère cette gravure fantaisiste.

Le nid de la rousserolle effarvatte est suspendu à des tiges de roseaux au cœur d'un marais. La construction de cette corbeille profonde demande un certain talent acrobatique, surtout lorsque les différentes tiges de roseaux auxquelles le nid est accroché ploient sous le vent. Le nid est fixé à l'aide d'anses rappelant celles d'un panier. Mâle et femelle participent à la construction qu'ils parachèvent avec des fleurs de roseaux, des brins d'herbe et des plumes.

Entrée latérale

Plumes

Mousse, poils et fils d'araignée entremêlés

Nid de mésange rémiz en forme de bourse

Le nid de la mésange à longue queue, tout en n'excédant pas 18 cm de haut en bas, est cependant l'un des plus élaborés de nos contrées. Fait de toiles d'araignée, de mousse et de poils, il est doublé à l'intérieur de centaines de petites plumes. Mais il est si étroit que la femelle n'y peut tenir qu'en repliant sa queue le long de la paroi.

Nombre d'oiseaux vivant en colonies nichent ensemble, notamment les républicains, mais leurs nids ne sont pas toujours aussi élégants.

LES ŒUFS D'OISEAUX AQUATIQUES ET D'ÉCHASSIERS

La forme des œufs dépend du mode de vie des oiseaux. Les oiseaux de mer (ceux qui ne viennent à terre que pour se reproduire) pondent généralement un œuf unique, loin de leurs prédateurs, sur une corniche rocheuse. Les échassiers pondent plusieurs œufs, aux couleurs mimétiques qui les confondent avec le milieu environnant, car leurs nids, situés sur les côtes et les estuaires, sont mal protégés.

Goélands argentés

Très prolifique, la poule d'eau élève généralement deux nichées par an, mais elle peut, à la manière d'un parasite, glisser sa première ponte dans le nid d'un autre oiseau, lui laissant le soin d'élever sa progéniture.

Le ramassage d'œufs d'oiseaux sauvages étant désormais illégal, tous ceux présentés dans ces pages proviennent de collections de musées ornithologiques. Avec le temps, plusieurs spécimens ont perdu leur couleur d'origine.

Canard souchet

La sterne naine pond 2 ou 3 œufs dans une petite cuvette qu'elle a aménagée dans le sol et garnie de petits cailloux. Le délicat motif de ses œufs les rend presque indiscernables parmi les galets.

Œuf nain

Œuf de taille normale

De même qu'une portée de mammifères peut compter un individu beaucoup plus petit que les autres, une couvée peut comporter un œuf nain. Ces deux œufs proviennent d'un canard souchet qui, comme la plupart des autres canards, est prodigue puisqu'il pond entre 8 et 12 œufs par couvée.

Les œufs de sterne pierregarin sont vigoureusement défendus par des parents intrépides. Durant l'incubation, le couple attaque tout intrus – humains compris – en piquant droit sur lui.

De nombreux Laridés déposent leurs œufs à même le sol, ce qui nécessite un camouflage. Cet œuf de goéland marin, l'un des plus grands membres de cette famille, est moucheté pour échapper à la vue de ses prédateurs durant les quatre semaines que dure l'incubation.

Le guillemot pond l'un des œufs les plus étonnants par la forme et les plus variables par la couleur. Il ne construit pas de nid ; la femelle dépose son œuf unique directement sur une corniche rocheuse nue. La forme pointue de l'œuf l'empêche de rouler accidentellement hors de sa niche précaire : s'il venait à le faire, il effectuerait un mouvement de toupie au lieu de rouler en ligne droite. Il est plus difficile d'expliquer la raison des différentes couleurs de cet œuf. Peut-être aident-elles les parents guillemots à le reconnaître parmi les milliers d'œufs présents dans la colonie.

Œuf crème et brun

Œuf blanc

Œuf strié gris

Guillemot

Œuf de couvée sombre

Œuf de couvée claire

Le petit gravelot pond ses œufs sur un lit alluvionnaire près d'un cours d'eau, où leur coloration tachetée les dissimule et les protège. Si un intrus s'approche du nid, les parents volent bruyamment vers lui en simulant une attaque pour détourner son attention. Lorsque les poussins sont nés, leur attitude face au danger reste la même : ils s'éloignent précipitamment des petits et manœuvrent l'importun.

L'œuf unique du petrel fulmar, pondu sur le rebord d'une falaise, hors de portée des prédateurs, reste sept semaines en incubation.

Chacun de ces trois œufs provient d'un petit échassier. De couleur différente d'une couvée à l'autre, mais généralement au nombre de quatre, les œufs des Limicoles, de forme conique, ont dans le nid le bout pointu dirigé vers le centre. Si les œufs avaient une autre forme, la femelle ne pourrait vraisemblablement pas les couver de manière aussi efficace en raison de leur grosse taille.

Bécassine

Le grèbe huppé pond son œuf aux bouts symétriques sur un tumulus de végétation aquatique qu'il a édifié. Il arrive qu'il installe son nid au milieu d'une colonie de mouettes, dont l'agressivité éloigne les prédateurs.

L'œuf du courlis cendré, très pointu à un bout et très arrondi à l'autre, est facile à reconnaître. Comme beaucoup d'échassiers, le courlis dépose sa couvée dans une dépression du sol.

Courlis cendré

Albatros

Le héron cendré construit son nid haut dans les arbres, caché dans leur couronne ; c'est pourquoi l'on a rarement la chance de voir ses œufs. Celui représenté ici était d'un bleu lumineux, mais il a perdu son éclat.

Les plongeons catmarins sont des oiseaux piscivores d'eau douce. Ayant les pattes très en arrière du corps, ils marchent difficilement et déposent donc leurs œufs d'un brun fauve tout au bord de l'eau.

C'est l'albatros qui, de tous les oiseaux marins, pond l'œuf le plus grand et le plus lourd : plus de 500 grammes ! C'est également l'œuf dont la période d'incubation est la plus longue de toute la faune ailée : les parents couvent leur œuf unique plus de deux mois et demi.

LES ŒUFS D'OISEAUX TERRESTRES

Les petits oiseaux terrestres, comme les granivores et les insectivores, pondent des œufs de petite taille. Beaucoup d'entre eux ont des couvées nombreuses – dépassant parfois la douzaine d'œufs. Certains autres, dont le cycle de couvaison est très court, couvent plusieurs fois par saison. Les oiseaux plus grands sont moins prolifiques. Ainsi aigles et vautours n'ont-ils qu'une couvée par an, voire une tous les deux ans.

Selon les espèces, la couleur des œufs varie beaucoup. Si dans certains cas elle permet de les dissimuler aux yeux d'éventuels prédateurs, dans d'autres, au contraire, elle les rend plus visibles de manière à être facilement retrouvés par leurs parents.

Œuf de mésange noire

Œuf de mésange bleue

Le rossignol philomèle installe son nid au sol, sous les fourrés des sous-bois. Ses œufs brunâtres disparaissent dans l'ombre des feuilles et des branches.

Les différentes espèces de mésanges pondent jusqu'à 15 œufs, et nidifient en général deux fois par an. L'ensemble de chacune des couvées peut dépasser d'un tiers le poids de la mère.

Œuf de pouillot siffleur

Œuf de pinson des arbres

Œuf de rousserolle verderolle

Œuf de gros-bec

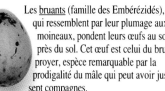

Les bruants (famille des Embérézidés), qui ressemblent par leur plumage aux moineaux, pondent leurs œufs au sol ou près du sol. Cet œuf est celui du bruant proyer, espèce remarquable par la prodigalité du mâle qui peut avoir jusqu'à sept compagnes.

La plupart des 375 espèces de Muscicapidés émigrent pour nicher. Leur arrivée coïncide avec l'explosion annuelle de la population d'insectes, qui alimenteront les oisillons (en moyenne 4).

Les Fringillidés pondent entre 4 et 6 œufs dans un nid construit dans les arbres et les buissons. Quelques-uns attendent pour pondre le début de l'été, saison où leur nourriture favorite – des graines mais aussi des chenilles – est suffisamment abondante.

Œuf de chouette hulotte

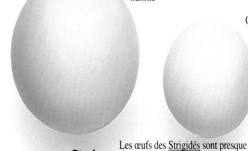

Œuf de chouette chevêche

Loriot de Baltimore

Les œufs des Strigidés sont presque sphériques et d'un blanc brillant. Cette couleur permet sans doute à ces oiseaux, habitués à nicher dans des trous (d'arbres, de murailles), de mieux repérer les œufs dans l'obscurité, et donc d'éviter de les écraser. La forme ronde est caractéristique des espèces cavernicoles.

Hibou moyen duc

Les striures aux colorations brunes et grises sur cet œuf de loriot de Baltimore apparaissent, comme chez tous les oiseaux, quelques heures avant la ponte de l'œuf. En effet, l'ovule, après avoir quitté l'ovaire, reçoit successivement l'albumen blanc, les deux membranes coquillières et atteint l'utérus où se forme la coquille, pigmentée ou non.

Le pigeon ramier, de taille moyenne, pond deux œufs qui, ensemble, pèsent moins du dixième du poids de leur mère, ce qui est vraiment très léger en comparaison des œufs d'oiseaux plus petits.

Œuf normal

Œuf à jaune double

Le choucas des tours, de la famille des Corvidés, dépose ses œufs dans les cavités d'arbres, de falaises ou de murs. Il affectionne aussi les cheminées, ce qui n'est pas sans funestes conséquences.

L'incubation des œufs a quelquefois des défauts. Les œufs à jaune double, habituellement plus grands que les œufs normaux, sont très courants. Ici, un œuf à jaune double à côté d'un œuf normal, tous deux de Corvidé.

Corneille noire

Le tétras niche à terre. Sa couvée peut comporter jusqu'à 10 œufs qui incubent un mois. Fortement tachetés, ils sont bien dissimulés dans les bruyères et les fougères.

Œufs de rouge-gorge

Œuf de coucou

Œufs d'accenteur mouchet

Œuf de coucou

Au cours de l'évolution de l'espèce, la femelle coucou s'est spécialisée dans le mimétisme des œufs des espèces dont elle va parasiter le nid. Certaines vont jusqu'à éliminer un des œufs existants pour rétablir le compte.

Les coucous déposent leurs œufs dans les nids d'autres oiseaux, plutôt plus petits. Premier à naître, en général, le parasite se débarrasse des œufs non éclos, voire des poussins, en les poussant dans le vide. Ici, le coucou a déposé un œuf au milieu d'une ponte de rouges-gorges.

Ces œufs de merle migrateur sont caractéristiques de la famille des Turdidés.

Le merle noir, comme tous les Turdidés, a des couvées de 4 œufs et peut mener à bien 2 ou 3 couvées en une saison si les conditions sont favorables. Cependant, l'hiver est souvent fatal aux jeunes oiseaux et seuls quelques-uns survivent.

Coucou gris d'Europe

Le nocturne engoulevent d'Europe ne construit pas de nid, il se contente de déposer deux œufs à même le sol. Le camouflage est quasiment aussi efficace que celui du plumage des adultes (cf. p. 28).

De nombreux Picidés creusent leur nid dans le tronc d'arbre pourri, mais aussi parfois sain, ce qui n'est pas le cas des autres oiseaux. Ces niches sont sûres, à l'abri des prédateurs les plus redoutables : les mammifères et les autres oiseaux, particulièrement les rapaces. Comme ceux des Strigidés, leurs œufs sont blancs et brillants.

Le faucon crécerelle pond une couvée de 4 à 6 œufs qu'il dépose parfois sur les gouttières et les rebords des fenêtres dans les agglomérations.

Comme beaucoup de rapaces, l'épervier d'Europe a souvent à pâtir des pesticides qui rendent la coquille de ses œufs très mince et provoquent des bris fréquents durant l'incubation. Il niche dans un arbre, généralement un conifère.

Le balbuzard pêcheur pond dans un nid de branchages en hauteur. Ses œufs, de couleur extraordinairement variable, incubent environ cinq semaines.

Le vautour percnoptère dépose ses œufs dans des fissures de rocher ou des grottes peu accessibles. L'adulte se nourrit d'œufs d'autres grands oiseaux, les cassant à l'aide d'une pierre, mais plus souvent de déchets divers.

Les aigles installent leurs nids dans les falaises ou sur des arbres. Leur ponte est de 2 œufs, déposés à quelques jours d'intervalle.

La ponte des buses est de 2 à 4 œufs par couvée. L'incubation dure un peu plus de quatre semaines et les oisillons restent au nid six à sept autres semaines. Aussi le couple n'a-t-il qu'une couvée annuelle.

ET QUELQUES ŒUFS EXTRAORDINAIRES...

Le plus grand oiseau vivant, l'autruche, pond un œuf 4 500 fois plus lourd que celui du colibri, l'oiseau le plus petit. Mais si l'on se reporte loin en arrière dans le temps, on constate que l'un des oiseaux les plus lourds qui ait existé – l'oiseau-éléphant – pondait des œufs qui auraient pu contenir chacun sept œufs d'autruche sans que ceux-ci soient à l'étroit ! Les œufs ont des tailles extrêmement variées qui préfigurent déjà la grande diversité de taille des espèces aviaires.

Cet animal issu des «Mille et Une Nuits» pourrait avoir effectivement existé ; peut-être s'agit-il de l'énorme oiseau-éléphant qui vécut à Madagascar, sans être capable de voler.

Chaque œuf de colibri pèse environ un cinquième du poids de l'adulte.

L'œuf d'autruche peut peser de 1,3 à 1,9 kg, soit environ un centième du poids de l'adulte.

Colibris

Les colibris pondent les plus petits œufs de tous les oiseaux. Le plus minuscule d'entre eux mesure environ un centimètre de long et pèse 0,35 gramme. Les œufs sont blancs, de forme cylindrique. Chez la plupart des espèces, la ponte, déposée dans un nid miniature en forme de coupe, est de 2 œufs. Les oisillons deviennent autonomes en trois semaines.

La coquille a presque 2 mm d'épaisseur.

L'autruche pond le plus gros œuf de toute la faune ailée actuelle. Si une seule femelle pond environ 10 ou 12 œufs par couvée, il n'est pas rare que d'autres s'installent au même endroit et l'on arrive parfois à des entassements invraisemblables allant jusqu'à 50 œufs !

Autruche

54

L'œuf d'émeu
pèse juste un
peu plus d'un
centième du
poids de
l'adulte.

Émeu

L'émeu d'Australie pond des œufs d'un vert sombre,
mais en l'espace de quelques jours ils deviennent
noirs et brillants. Comme l'autruche, l'émeu est prolifique :
une femelle peut pondre entre 5 et 15 œufs pesant chacun
de 450 à 650 grammes.

Œuf de kiwi
Il pèse près du quart
du poids de l'adulte.

Kiwi

Le kiwi, qui a la taille d'une poule, pond proportionnellement
l'œuf le plus gros de toute la faune ailée : il pèse à peu près
450 grammes. La ponte normale de 1 à 2 œufs est couvée par le mâle.
L'éclosion survient après deux mois et demi.

L'œuf de l'oiseau-éléphant pesait
environ 3 % de celui de l'adulte.

L'oiseau qui a pondu cet œuf monstrueux
– l'*Æpyornis maximus* ou "oiseau-
éléphant" – pesait près d'une demi-tonne
et ses œufs gigantesques, de 12 kg chacun,
sont les plus gros jamais pondus.
Les oiseaux-éléphants vivaient à
Madagascar, et bien qu'ils se soient
éteints il y a 500 à 600 ans, des œufs
intacts ainsi que des coquilles
brisées ont été découverts
dans les marécages de l'île.
L'œuf d'oiseau-éléphant
dépasse de deux fois
en volume celui
du dinosaure.

COMMENT ON SORT DE SA COQUILLE : NAISSANCE D'UN FAISANDEAU

Malgré son extrême légèreté, la coquille de l'œuf est remarquablement solide. C'est au terme de longues heures ou de longs jours d'un travail acharné que le poussin parvient à briser cette barrière qui le sépare du monde extérieur. Les oiseaux sont divisés en deux groupes selon le degré de leur développement à la naissance : les nidifuges et les nidicoles. Les nidifuges, comme le faisandeau ci-contre, sont couverts de duvet et suivent leurs parents dès l'éclosion. Les nidicoles, dépourvus de plumes à l'éclosion, dépendent entièrement des adultes pour se nourrir.

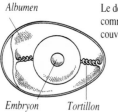

12.00

Le développement de l'embryon commence dès que la mère se met à couver.

Albumen

Embryon

Tortillon d'albumen

Jaune chargé de vitellus

Embryon

Chambre à air

Poche à déchets

Poussin qui grandit

Membrane vitelline qui rétrécit

1 - PRÉPARATION À L'ÉCLOSION

Les prémices de l'éclosion du faisandeau et des autres poussins sont invisibles. Le poussin se tourne dans sa coquille afin que son bec pointe vers le bout arrondi de l'œuf puis, d'un coup de tête brutal, il pique la poche à air. C'est là une étape décisive de son développement car il se met à respirer pour la première fois. Lorsque ses poumons fonctionnent, il peut appeler sa mère de l'intérieur. Ces appels, ainsi que la réponse parentale, l'aident vraisemblablement à se préparer à l'éclosion proprement dite.

12.30

12.32

4 - LA CRAQUELURE DEVIENT FISSURE TOUT AUTOUR DE L'ŒUF

En continuant du bec à pilonner la coquille, le poussin a presque fini de détacher le bout arrondi de l'œuf. De gros morceaux de coquille en tombent tandis qu'il se démène. Une couvée entière de faisandeaux éclôt en l'espace de quelques heures : au moment où celui-ci en est à cette phase, ses frères et sœurs ont eux aussi commencé leur travail.

5 - L'OISILLON ASSURE SA PRISE

Le faisandeau commence à émerger par la brèche qu'il s'est ménagée : les choses vont alors se précipiter. L'oisillon agrippe ses doigts (on les voit nettement ici) sur le rebord de la coquille et, dès qu'il a bien assuré sa prise, il pousse avec ses pieds et ses épaules. Après quelques tractions, le bout arrondi de l'œuf se détache complètement.

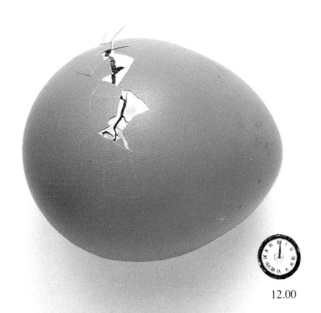

12.00

2 - RUPTURE DE LA COQUILLE

L'éclosion commence véritablement lorsque le poussin réussit, après plusieurs tentatives, à rompre la coquille. Il y est aidé par deux éléments : la "dent du bec" ou diamant, petit organe qui saille sur la mandibule supérieure et qui tombe peu après l'éclosion, et un puissant muscle situé derrière la tête qui renforce la poussée du diamant. Entre les séquences de becquetage, l'oisillon doit se reposer longuement.

12.15

3 - LA FÊLURE SE PRÉCISE

Ayant brisé la coquille en un point, le poussin entreprend d'étendre la fêlure. Après chaque assaut de son bec, il s'arrête et se tourne légèrement en se poussant à l'aide de ses pattes, ce qui a pour effet d'agrandir la fêlure.

12.32

12.33

6 - L'ÉCLOSION PROPREMENT DITE

De ses pieds, le faisandeau donne une nouvelle poussée et le bout arrondi se retrouve sur sa tête comme un chapeau. Ce type d'éclosion, où la tête émerge en premier, est le plus courant. Par contre, quelques échassiers et certains oiseaux vivant à terre défoncent leurs coquilles à l'aveuglette ou se fraient un chemin par des ruades qui leur valent de sortir les pieds les premiers.

7 - L'ULTIME CULBUTE

D'une poussée finale, le faisandeau tombe à la renverse hors de la coquille qui l'a protégé durant les trois semaines et demie de son incubation. Au cours de ses deux premières heures, ses plumes vont sécher et se gonfler afin de l'isoler du froid. Ensuite commence la course à la nourriture et à la croissance. Les faisandeaux quittent leur nid presque immédiatement et, aussi stupéfiant que cela puisse paraître, ils sont aptes au vol deux semaines plus tard.

LES PETITS OISEAUX SONT DES OGRES

Les oiseaux qui nichent à terre éclosent à un stade de développement déjà bien avancé. Par contre, ceux dont les nids sont installés dans les branches des arbres ou dans les cavités des troncs naissent nus, dépourvus de plumes, les yeux clos, mais sont pourvus d'un système digestif bien développé. Ce stade ne dure guère : alimentés sans cesse, les oisillons, comme ceux de la mésange bleue, ont une croissance très rapide. Les petits de nombreuses espèces nidicoles multiplient leur poids par dix en... dix jours. Leur développement est plus rapide que celui des poussins des espèces nidifuges.

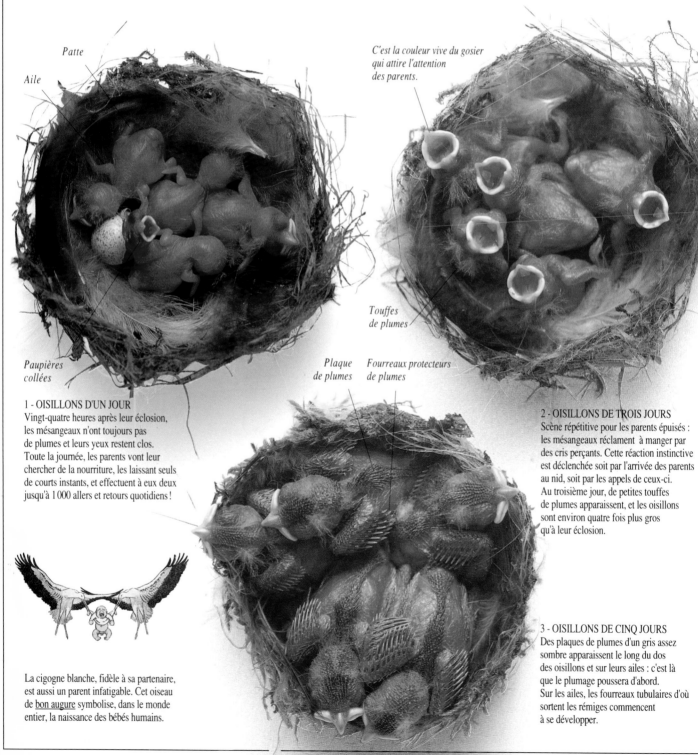

Patte

Aile

C'est la couleur vive du gosier qui attire l'attention des parents.

Touffes de plumes

Paupières collées

Plaque de plumes

Fourreaux protecteurs de plumes

1 - OISILLONS D'UN JOUR
Vingt-quatre heures après leur éclosion, les mésangeaux n'ont toujours pas de plumes et leurs yeux restent clos. Toute la journée, les parents vont leur chercher de la nourriture, les laissant seuls de courts instants, et effectuent à eux deux jusqu'à 1 000 allers et retours quotidiens !

La cigogne blanche, fidèle à sa partenaire, est aussi un parent infatigable. Cet oiseau de <u>bon augure</u> symbolise, dans le monde entier, la naissance des bébés humains.

2 - OISILLONS DE TROIS JOURS
Scène répétitive pour les parents épuisés : les mésangeaux réclament à manger par des cris perçants. Cette réaction instinctive est déclenchée soit par l'arrivée des parents au nid, soit par les appels de ceux-ci. Au troisième jour, de petites touffes de plumes apparaissent, et les oisillons sont environ quatre fois plus gros qu'à leur éclosion.

3 - OISILLONS DE CINQ JOURS
Des plaques de plumes d'un gris assez sombre apparaissent le long du dos des oisillons et sur leurs ailes : c'est là que le plumage poussera d'abord. Sur les ailes, les fourreaux tubulaires d'où sortent les rémiges commencent à se développer.

Fourreaux de plumes

L'extrémité des plumes émerge.

La plupart des oiseaux assurent la protection des petits en agressant les intrus ; certains même les soustraient au danger en les emportant avec eux. Selon les espèces, ils se servent pour cela de leur bec, de leurs pattes ou de leurs serres.

La bécasse des bois peut tenir son petit dans ses pattes, tout en volant.

Le discret râle d'eau transporte son petit dans son long bec.

Certains oiseaux de proie, comme le faucon, tiennent leur petit dans leurs serres.

4 - OISILLONS DE NEUF JOURS
Tandis que les fourreaux continuent de croître, l'extrémité des rémiges commence à émerger. Les zones de peau nue entre les plaques de plumes disparaissent peu à peu. Le nid devient étroit, bien que cinq petits forment une famille vraiment peu nombreuse chez cette espèce.

5 - OISILLONS DE TREIZE JOURS
Les oisillons ont maintenant les yeux ouverts et sont emplumés. D'ici à cinq jours, ils vont abandonner leur nid, mais ils suivront leurs parents quelque temps encore, en quémandant des becquées. Ce n'est que progressivement qu'ils apprendront à se débrouiller seuls. L'autonomie complète viendra au moment où les parents, entreprenant les préparatifs de leur couvée suivante, ne répondront plus à leurs appels.

COMMENT ATTIRER LES OISEAUX

En hiver, un oiseau percheur tel que le rouge-gorge peut perdre un dixième de son poids pour se maintenir en vie pendant les longues heures d'obscurité. Jour après jour, quand point l'aube, l'oiseau affamé doit trouver de quoi se nourrir sous peine de périr. Aussi le meilleur moyen d'attirer les oiseaux dans votre jardin est-il de disposer régulièrement de la nourriture à leur intention. Graines, noix, graisses, reliefs de repas et eau claire seront pour eux d'un grand secours, et vous pourrez de surcroît les observer pendant leur repas. Si vous les aidez à franchir le cap difficile de l'hiver, vous pourrez en outre en retenir quelques-uns pendant l'été en leur offrant la possibilité de nicher. Certaines espèces, en effet, acceptent d'occuper des nichoirs disposés à leur intention, surtout s'ils sont placés hors d'atteinte de la gent féline.

Les mésanges charbonnières et les mésanges bleues ne dédaignent pas les noix et la graisse qu'on leur offre.

Les oiseaux ont une méfiance innée des humains, mais saint François d'Assise (représenté ici sur un vitrail) avait su, dit-on, gagner leur confiance.

Un couvercle incliné permet d'évacuer l'écoulement des eaux de pluie.

Couvercle à charnière pouvant être relevé

Entrée de 29 mm de diamètre qui empêche les oiseaux plus grands de passer

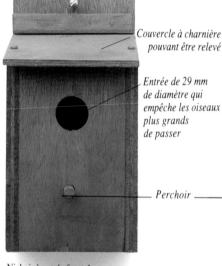

Perchoir

Nichoir à devant ouvert : les rouges-gorges, gobe-mouches, troglodytes mignons et bergeronnettes aiment observer l'extérieur pendant qu'ils couvent. Comme ils nichent généralement à l'abri d'une végétation épaisse, il convient de cacher le nichoir dans les frondaisons, ce qui préservera du même coup ses occupants des chats du voisinage.

Nichoir à pignon : un toit protège les oisillons de la pluie, mais il réduit aussi la circulation d'air. Il ne faut pas exposer trop directement le nichoir au soleil.

Nichoir à entrée frontale : cette forme attire les oiseaux des bois comme les mésanges et les sittelles. Une entrée exiguë découragera les visiteurs inopportuns tels que les moineaux.

Couvercle escamotable pour inspecter le nid

Deux moitiés de bûche évidées et clouées font un très bon nichoir.

Un nichoir fait d'une bûche évidée fournit un habitat tout à fait excellent pour les petits oiseaux forestiers. On n'y mettra pas de perchoir et l'on se gardera de poncer l'écorce afin d'assurer un bon appui à l'oiseau qui atterrit ou prend son envol.

Un nichoir fantaisie peut plaire à l'homme mais pas forcément à l'oiseau : les décorations inutiles peuvent détourner des oiseaux pourtant à la recherche d'un abri. Si vous choisissez ce style de nichoir, vérifiez qu'il est solide, qu'il peut être nettoyé et que le toit ne laissera pas s'infiltrer l'eau de pluie.

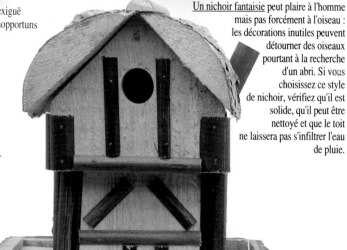

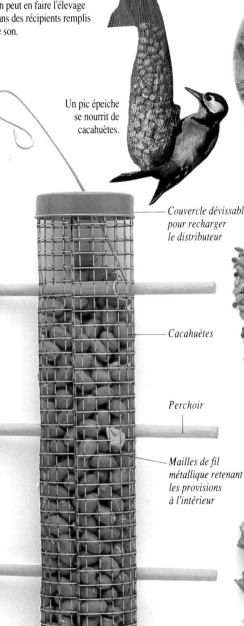

De toutes les nourritures qu'on peut proposer aux oiseaux de jardin, les huiles et les graisses sont les meilleures car les plus énergétiques. Toutes les graines contiennent de l'huile, mais on peut les enrichir en les pressant et en leur ajoutant encore de l'huile ou de la graisse. Ce sera un festin pour les oiseaux, et vous y gagnerez de pouvoir les observer tout à loisir.

Boulette de graines et de graisse

Les oiseaux insectivores ne résistent pas aux larves de coléoptères. On peut en faire l'élevage dans des récipients remplis de son.

Un pic épeiche se nourrit de cacahuètes.

"Pudding à oiseaux" vendu dans le commerce

Gâteau de graines

Couvercle dévissable pour recharger le distributeur

La noix de coco est un repas possible pour la mésange bleue acrobate.

Cacahuètes

Perchoir

Mailles de fil métallique retenant les provisions à l'intérieur

Les mélanges de graines en vrac constituent une excellente nourriture, encore que certains oiseaux, comme les mésanges, s'envolent avec les plus grandes pour aller les déguster tranquillement.

La faim pousse parfois les oiseaux à surmonter leur timidité quand l'hiver est rude.

Les cacahuètes nature, c'est-à-dire sans adjonction de sel, sont un mets de choix pour les mésanges et les verdiers. Un distributeur suspendu permet de garder à l'écart les oiseaux les plus grands.

Le pain n'est pas la nourriture la mieux appropriée pour les oiseaux, mais c'est tout de même un en-cas utile. Le pain bis, par le son qu'il contient, convient toutefois mieux que le blanc.

L'OBSERVATION DES OISEAUX

À elle seule, l'Europe compte environ 600 espèces d'oiseaux, dont de nombreux migrateurs. Un ornithologue peut identifier nombre d'entre elles en observant la silhouette des oiseaux en vol ou en écoutant quelques strophes de leur chant. Cette prouesse n'est qu'apparente : elle est en fait le résultat de minutieuses observations antérieures destinées à étudier les oiseaux dans leur milieu naturel.

Approcher les oiseaux sauvages demande du savoir-faire et de la patience.

Les guides ornithologiques sont indispensables pour apprendre à reconnaître les oiseaux, mais la tenue d'un carnet de notes est nécessaire si l'on veut progresser.
Faites des croquis de l'oiseau au repos, en vol, et prenez des notes sur son comportement, sa morphologie, les caractéristiques de son plumage, vous aiguiserez votre sens de l'observation et développerez vos connaissances.

Attention : lorsqu'on observe des oiseaux, il faut absolument éviter de les déranger. Cette recommandation vaut particulièrement en période de reproduction.

Nul besoin d'être un artiste pour dessiner des oiseaux. Quelques crayons de couleur vous permettront de croquer les détails voulus qui remplaceront avantageusement des pages de description.

Règle pour mesurer les plumes

Lentilles de l'objectif

Lentilles oculaires

L'observation des oiseaux est pratiquement impossible sans l'appoint d'une bonne paire de jumelles ; "bonne" ne signifie pas obligatoirement très puissante. Il est préférable qu'elles soient légères et allient un coefficient d'agrandissement correct à un champ de vision suffisamment large. Les jumelles lourdes sont incommodes, et si leur coefficient d'agrandissement dépasse 10, le champ de vision restreint et le manque de netteté rendent ardu le repérage d'oiseaux en mouvement. Les jumelles se classent selon le coefficient d'agrandissement et le diamètre des objectifs. Les meilleures combinaisons pour l'observation des oiseaux sont 8 x 30 et 10 x 40.

Plume de buse variable

La collection de plumes doit être conservée dans des pochettes de papier ou de plastique.

Pince à épiler; en plastique, elle risquera moins d'endommager les petits os.

Loupe

Un matériel est nécessaire pour examiner les pelotes. La plupart des restes d'animaux qu'on peut être amené à trouver dans les pelotes de rejection (cf. p. 42) sont fragiles et s'abîment facilement lorsque la pelote est ouverte. En s'aidant d'une loupe et d'une pince à épiler, on parviendra à détacher, sans les briser, les os et les dents minuscules ainsi que les plumes entremêlées de lambeaux de fourrure.

Plumes de pigeon

Plume de geai des chênes

Pour observer les oiseaux dans de bonnes conditions, il importe de trouver une cachette : les oiseaux ont vite fait de repérer tout mouvement suspect, mais ils ignorent les objets immobiles, fussent-ils parfaitement incongrus au regard de l'homme. Même en terrain plat et dégagé, les oiseaux prendront votre cachette pour un élément naturel et l'approcheront sans crainte.

Les appareils photo à objectif puissant nécessitent un support ferme pour garantir la netteté de l'image. La stabilité du trépied est primordiale. Il peut également servir aux jumelles.

L'objectif standard de 50 mm ne suffit pas si l'on souhaite photographier des oiseaux. Sur l'image obtenue, ceux-ci ne représenteront qu'un point. Il est nécessaire de se munir d'un téléobjectif, les longueurs focales idéales étant 200 et 300 mm.

Téléobjectif de 200 mm

L'appareil photo approprié pour les oiseaux est le 24 x 36 reflex, car on peut voir exactement l'image dans le viseur. Il est difficile de photographier des oiseaux sauvages – particulièrement en vol. Mieux vaut d'abord s'entraîner avec des oiseaux de jardin.